Heath's Modern Language Series

SELECTIONS FROM

LES CARACTÈRES

OF

LA BRUYÈRE

EDITED WITH AN INTRODUCTION AND NOTES

BY

F. M. WARREN

PROFESSOR IN YALE UNIVERSITY

D. C. HEATH & CO., PUBLISHERS

BOSTON NEW YORK CHICAGO

2 E O

INTRODUCTION

Jean de La Bruyère, the author of *Les Caractères*, was born of good burgher stock at Paris, probably on August 16, 1645. Information regarding his childhood and youth is almost wholly lacking, but the records of the University of Orleans contain the statement that he took a law degree at that institution in 1665. For a time he seems to have practiced his profession in Paris, yet without much liking for it, because in 1673 he bought an office under the government, a treasurership in the financial district of Caen. By this purchase he not only gained a salary which returned him a high interest on his investment, but he also acquired a better social position than he had before enjoyed. The duties of this new charge could apparently be safely neglected by its occupant. At all events La Bruyère continued to live in the house at Paris which was occupied by his family, and maintained there something of an establishment. His real employment undoubtedly lay in cultivating his literary tastes, which widened the circle of his acquaintance in a manner most advantageous for him, so that in 1684—it is said under the patronage of Bossuet—he was enabled to enter the household of the Prince de Condé in the capacity of tutor to Condé's grandson, the Duc de Bourbon. He taught history, geography and the institutions of France. A few letters addressed to Condé during the months which followed this appointment testify to La Bruyère's desire to make his instruction profitable to his noble pupil. In 1686 Condé died. His grandson had already been released from tutelage. La Bruyère, however, continued to reside with the family, with the title of "gentilhomme," and the probable office of secretary and librarian. An idea of his true occupation at this time may be inferred from the publication in 1688 of the first edition of *Les Caractères*. This edition was accompanied by a translation of the "*Characters*" of his Greek model, Theophrastus, and an essay on that author (*Discours sur Théophraste*). The success of the book seems to have been immediate. Editions, revised and enlarged, followed each other in rapid succession — nine in seven years. It won for its author an election to the French Academy (1693), and it constitutes today La Bruyère's title to fame. A controversial work (*Dialogues sur le Quiétisme*), begun later at Bossuet's request, could not be finished. A stroke of apoplexy brought his career to a sudden end on May 10, 1696, in the Condé residence at Versailles.

La Bruyère's study of contemporaneous manners is not an easy book to judge. The literature of the seventeenth century in France is especially characterized by simplicity and directness. Neither of these qualities can be said to predominate in *Les Caractères*. They are indeed engrossed with the theme of humanity, which had become the great concern of the Renaissance, and, formulated in so many ways by Montaigne's *Essays*, had shaped the entire thought of succeeding generations. But they do not study humanity purely from the objective standpoint. The environment of their author had fostered prejudices which often affect the correctness of his observations, particularly when they are made on the nobility and the enriched tradesmen of the day. So that the claim made by La Bruyère in his Preface that he "returns to the public what it had loaned" him (page 1) is not to be accepted without many reservations. He is a portrait painter, to be sure, but he is also a moralist. His portraits are frequently drawn with a satirical hand, influenced by personal experience. They are not to be considered true to life in every instance.

Les Caractères also reflect the traditions of their age. We cannot expect that their author would be independent of the great moralists and essayists who had preceded him. He had read them all and meditated upon them. He had even assimilated much of their thought. While the person, the individual, he is sketching, quite surely had a being in the Paris of the eighties, the portrayal of that person is affected by reminiscences of Montaigne, or Descartes, or Pascal, or La Rochefoucauld, or perhaps Bossuet — as in the pictures of Louis XIV and the Prince de Condé. The *Discours sur Théophraste*, which serves as a preface to *Les Caractères*, acknowledges this varied indebtedness in a comparison which our author makes between Pascal's *Pensées* and La Rochefoucauld's *Maximes* on the one hand and *Les Caractères* on the other: "Moins sublime que le premier et moins délicat que le second, il [*Les Caractères*] ne tend qu'à rendre l'homme raisonnable." The purpose thus avowed might also be attributed to Descartes.

In all this we do not claim that La Bruyère intended to echo the ideas of his forerunners, French or Greek, though he imitates Theophrastus on many a page. He differentiated himself quite successfully from them all by the spirit which moved him. His predecessors in the study of man took humanity as it was. They did not wish to change its external conditions. They aimed at the soul which could be regenerated by itself if it were evil. They did not presume to intimate that the world could be improved in any other than a moral way. Not so with La Bruyère. Moral regeneration as a cure for human ills is admitted by him, but to this remedy he adds another. The passive contemplation of man ceases in *Les Caractères*, and the active commences. The intellectual, moral or spiritual conception of this great subject yields to the social. Unlike the earlier essayists, La Bruyère had felt the inequalities of rank and wealth. He was not content to rest under the established social conditions, and he used his study of man to give relief to his own sufferings as an individual. Of course sparingly. It would not have been prudent, under Louis XIV, to attack the existing order of things. Yet we find that in one passage La Bruyère expresses indignation at the precedence of birth over brains (*Des Grands*, No. 3, page 63); in another he cries out against a government which sacrifices the many to the few (*Des Biens de Fortune*, No. 26, page 42), while a glimpse of the privations which were to culminate in the ferocity of the French Revolution is afforded by his well-known picture of the peasants of France (*De l'Homme*, No. 128, pages 85–86). In such outspoken lines as these there is no direct appeal to altruistic sentiments. La Bruyère does not even suggest that the social fabric is faulty. He merely emphasizes certain hardships which its construction and continuance involve. But his words are sufficient to show that another standpoint of looking at man has been reached. To call attention to the sufferings which arise from certain conditions is to lead to the suggestion that those sufferings may be remedied by changing the conditions. The study of man as conceived by the eighteenth century will be directed to this end. *Les Caractères* mark the place where the old merges into the new. And the new is mainly concerned with man's happiness on earth.

The style of *Les Caractères* testifies to the presence of these new ideas. Their sentences are of a different construction from the sentences of Descartes or Pascal. They often lack that easy progression from subject to predicate. They object to syntactical simplicity. The artifice of the builder is quite frequently evident in them. He tries every method, for the purpose of varying his expression. Inversion, apostrophe, exclamation, interrogation are called upon. Oratorical and conversational styles are employed. The words are unexpectedly juxtaposed, surprising comparisons are made, while the periods frequently end with a paradox or witticism. This manner is the rule, but instances of the harmonious classical phrase are not wanting.

Voltaire has well expressed La Bruyère's composition: "Un style rapide, concis, nerveux, des expressions pittoresques; un usage tout nouveau de la langue, mais qui n'en blesse pas les règles" (*Siècle de Louis XIV*, c. 32).

F. M. W.

LES CARACTÈRES

OU LES MŒURS DE CE SIÈCLE

Admonere voluimus, non mordere; prodesse, non laedere; consulere moribus hominum, non officere. — ÉRASME.[1]

Je rends au public ce qu'il m'a prêté; j'ai emprunté de lui[2] la matière de cet ouvrage: il est juste que l'ayant achevé avec toute l'attention pour la vérité dont je suis capable, et qu'il mérite de moi, je lui en fasse la restitution. Il peut regarder avec loisir ce portrait que j'ai fait de lui d'après nature, et s'il se connaît quelques-uns des défauts que je touche, s'en corriger.[3]... Ce ne sont point des maximes que j'aie voulu écrire; elles sont comme des lois dans la morale, et j'avoue que je n'ai ni assez d'autorité ni assez de génie pour faire le législateur; je sais même que j'aurais péché contre l'usage des maximes,[4] qui veut qu'à la manière des oracles elles soient courtes et concises. Quelques-unes de ces remarques le sont, quelques autres sont plus étendues: on pense les choses d'une manière différente, et on les explique par un tour aussi tout différent, par une sentence, par un raisonnement, par une métaphore ou quelque autre figure, par un parallèle, par une simple comparaison, par un fait[5] tout entier, par un seul trait, par une description, par une peinture: de là procède la longueur ou la brièveté de mes réflexions. Ceux enfin qui font des maximes veulent être crus: je consens, au contraire, que l'on dise de moi que je n'ai pas quelquefois bien remarqué, pourvu que l'on remarque mieux.

DES OUVRAGES DE L'ESPRIT

1. Tout est dit, et l'on vient trop tard depuis plus de sept mille ans[1] qu'il y a des hommes, et qui[2] pensent. Sur ce qui concerne les mœurs, le plus beau et le meilleur est enlevé; l'on ne fait que glaner après les anciens et les 5 habiles d'entre les modernes.

2. Il faut chercher seulement à penser et à parler juste, sans vouloir amener les autres à notre goût et à nos sentiments; c'est une trop grande entreprise.

3. C'est un métier que de faire un livre, comme de 10 faire une pendule; il faut plus que de l'esprit pour être auteur. Un magistrat allait par son mérite à la première dignité, il était homme délié et pratique[3] dans les affaires: il a fait imprimer un ouvrage moral, qui est rare par le ridicule.

15 4. Il n'est pas si aisé de se faire un nom par un ouvrage parfait, que d'en faire valoir un médiocre par le nom qu'on s'est déjà acquis.

10. Il y a dans l'art un point de perfection, comme de bonté ou de maturité dans la nature. Celui qui le sent 20 et qui l'aime a le goût parfait; celui qui ne le sent pas, et qui aime en deçà ou au delà, a le goût défectueux. Il y a donc un bon et un mauvais goût, et l'on dispute des goûts avec fondement.

14. Tout l'esprit d'un auteur consiste à bien définir et 25 à bien peindre. MOÏSE, HOMÈRE, PLATON, VIRGILE, HORACE, ne sont au-dessus des autres écrivains que par leurs expressions et par leurs images: il faut exprimer le vrai pour écrire naturellement, fortement, délicatement.

15. On a dû faire du style ce qu'on a fait de l'architec- 30 ture. On a entièrement abandonné l'ordre gothique,[4]

que la barbarie avait introduit pour les palais et pour les temples; on a rappelé le dorique, l'ionique et le corinthien; ce qu'on ne voyait plus que dans les ruines de l'ancienne Rome et de la vieille Grèce, devenu moderne, éclate dans nos portiques et dans nos péristyles. De même on ne saurait en écrivant rencontrer le parfait et, s'il se peut, surpasser les anciens que par leur imitation. 5

Combien de siècles se sont écoulés avant que les hommes, dans les sciences et dans les arts, aient pu revenir au goût des anciens et reprendre enfin le simple et le naturel![1] 10

On se nourrit des anciens et des habiles modernes; on les presse, on en tire le plus que l'on peut, on en renfle ses ouvrages; et quand enfin l'on est auteur, et que l'on croit marcher tout seul, on s'élève contre eux, on les maltraite, semblable à ces enfants drus et forts d'un bon lait qu'ils ont sucé, qui battent leur nourrice. 15

Un auteur moderne[2] prouve ordinairement que les anciens nous sont inférieurs en deux manières, par raison et par exemple: il tire la raison de son goût particulier, et l'exemple de ses ouvrages. 20

Il avoue que les anciens, quelque inégaux et peu corrects qu'ils soient, ont de beaux traits; il les cite, et ils sont si beaux qu'ils font lire sa critique.

Quelques habiles[3] prononcent en faveur des anciens contre les modernes; mais ils sont suspects et semblent juger en leur propre cause, tant leurs ouvrages sont faits sur le goût de l'antiquité: on les récuse. 2

17. Entre toutes les différentes expressions qui peuvent rendre une seule de nos pensées, il n'y en a qu'une qui soit la bonne. On ne la rencontre pas toujours en parlant ou en écrivant; il est vrai néanmoins qu'elle 30

existe; que tout ce qui ne l'est point est faible et ne satisfait point un homme d'esprit qui veut se faire entendre.

Un bon auteur, et qui écrit avec soin, éprouve souvent que l'expression qu'il cherchait depuis longtemps sans la connaître, et qu'il a enfin trouvée, est celle qui était la plus simple, la plus naturelle, qui semblait devoir se présenter d'abord et sans effort.

Ceux qui écrivent par humeur[1] sont sujets à retoucher à leurs ouvrages: comme elle n'est pas toujours fixe, et qu'elle varie en eux selon les occasions, ils se refroidissent bientôt pour les expressions et les termes qu'ils ont le plus aimés.

20. Le plaisir de la critique nous ôte celui d'être vivement touchés de très belles choses.

26. Il n'y a point d'ouvrage si accompli qui ne fondît tout entier au milieu de la critique, si son auteur voulait en croire tous les censeurs qui ôtent chacun l'endroit qui leur plaît le moins.

30. Quelle prodigieuse distance entre un bel ouvrage et un ouvrage parfait ou régulier![2] Je ne sais s'il s'en est encore trouvé de ce dernier genre. Il est peut-être moins difficile aux rares génies de rencontrer le grand et le sublime, que d'éviter toute sorte de fautes. *Le Cid* n'a eu qu'une voix pour lui à sa naissance, qui a été celle de l'admiration; il s'est vu plus fort que l'autorité et la politique[3] qui ont tenté vainement de le détruire; il a réuni en sa faveur des esprits toujours partagés d'opinions et de sentiments, les grands et le peuple; ils s'accordent tous à le savoir de mémoire, et à prévenir au théâtre les acteurs qui le récitent. *Le Cid* enfin est l'un des plus beaux poèmes que l'on puisse faire; et l'une des meil-

leures critiques[1] qui ait été faite sur aucun sujet est celle du *Cid*.

31. Quand une lecture vous élève l'esprit, et qu'elle vous inspire des sentiments nobles et courageux, ne cherchez pas une autre règle pour juger de l'ouvrage: il est bon, et fait de main d'ouvrier.[2]

37. Je ne sais si l'on pourra jamais mettre dans des lettres plus d'esprit, plus de tour, plus d'agrément et plus de style que l'on en voit dans celles de BALZAC[3] et de VOITURE;[4] elles sont vides de sentiments qui n'ont régné que depuis leur temps, et qui doivent aux femmes leur naissance. Ce sexe[5] va plus loin que le nôtre dans ce genre d'écrire. Elles trouvent sous leur plume des tours et des expressions qui souvent en nous ne sont l'effet que d'un long travail et d'une pénible recherche; elles sont heureuses dans le choix des termes, qu'elles placent si juste que, tout connus qu'ils sont, ils ont le charme de la nouveauté, et semblent être faits seulement pour l'usage où elles les mettent; il n'appartient qu'à elles de faire lire dans un seul mot tout un sentiment, et de rendre délicatement une pensée qui est délicate; elles ont un enchaînement de discours inimitable, qui se suit naturellement, et qui n'est lié que par le sens. Si les femmes étaient toujours correctes, j'oserais dire que les lettres de quelques-unes d'entre elles seraient peut-être ce que nous avons dans notre langue de mieux écrit.

38. Il n'a manqué à TÉRENCE[6] que d'être moins froid: quelle pureté, quelle exactitude, quelle politesse, quelle élégance, quels caractères! Il n'a manqué à MOLIÈRE que d'éviter le jargon et le barbarisme,[7] et d'écrire purement: quel feu, quelle naïveté, quelle source de la bonne

plaisanterie, quelle imitation des mœurs, quelles images, et quel fléau du ridicule! Mais quel homme on aurait pu faire de ces deux comiques!

39. J'ai lu MALHERBE[1] et THÉOPHILE.[2] Ils ont tous
5 deux connu la nature,[3] avec cette différence que le premier, d'un style plein et uniforme, montre tout à la fois ce qu'elle a de plus beau et de plus noble, de plus naïf et de plus simple; il en fait la peinture ou l'histoire. L'autre, sans choix, sans exactitude, d'une plume libre et inégale,
10 tantôt charge ses descriptions, s'appesantit sur les détails: il fait une anatomie; tantôt il feint,[4] il exagère, il passe[5] le vrai dans la nature: il en fait le roman.

40. RONSARD[6] et BALZAC ont eu, chacun dans leur genre, assez de bon et de mauvais pour former après eux
15 de très grands hommes en vers et en prose.

41. MAROT,[7] par son tour et par son style, semble avoir écrit depuis RONSARD: il n'y a guère, entre ce premier[8] et nous, que la différence de quelques mots.

42. RONSARD et les auteurs ses contemporains ont
20 plus nui[9] au style qu'ils ne lui ont servi: ils l'ont retardé dans le chemin de la perfection; ils l'ont exposé à la manquer pour toujours et à n'y plus revenir.[10] Il est étonnant que les ouvrages de MAROT, si naturels et si faciles, n'aient su faire de Ronsard, d'ailleurs plein de
25 verve et d'enthousiasme, un plus grand poète que Ronsard et que Marot; et, au contraire, que Belleau,[11] Jodelle[12] et du Bartas[13] aient été sitôt suivis d'un RACAN[14] et d'un MALHERBE, et que notre langue, à peine corrompue, se soit vue réparée.[15]

30 43. MAROT et RABELAIS[16] sont inexcusables d'avoir semé l'ordure dans leurs écrits. Tous deux avaient assez de génie et de naturel pour pouvoir s'en passer,

même à l'égard de ceux qui cherchent moins à admirer qu'à rire dans un auteur. Rabelais surtout est incompréhensible. Son livre est une énigme, quoi qu'on veuille dire, inexplicable; c'est une chimère, c'est le visage d'une belle femme avec des pieds et une queue de 5 serpent, ou de quelque autre bête plus difforme; c'est un monstreux assemblage d'une morale fine et ingénieuse et d'une sale corruption. Où il est mauvais, il passe bien loin au delà du pire, c'est le charme de la canaille; où il est bon, il va jusques à l'exquis et à l'excellent, il peut 10 être le mets des plus délicats.

44. Deux écrivains, dans leurs ouvrages, ont blâmé MONTAGNE,[1] que je ne crois pas, aussi bien[2] qu'eux, exempt de toute sorte de blâme. Il paraît que tous deux ne l'ont estimé en nulle manière. L'un ne pensait 15 pas assez pour goûter un auteur qui pense beaucoup; l'autre pense trop subtilement pour s'accommoder de pensées qui sont naturelles.

45. Un style grave, sérieux, scrupuleux, va fort loin. On lit AMYOT[3] et COËFFETEAU:[4] lequel lit-on de leurs con- 20 temporains? BALZAC, pour les termes et pour l'expression, est moins vieux que VOITURE. Mais si ce dernier, pour le tour, pour l'esprit et pour le naturel, n'est pas moderne et ne ressemble en rien à nos écrivains, c'est qu'il leur a été plus facile de le négliger que de l'imiter, 25 et que le petit nombre de ceux qui courent après lui ne peut l'atteindre.

52. Ce n'est point assez[5] que les mœurs du théâtre ne soient point mauvaises; il faut encore qu'elles soient décentes et instructives. Il peut y avoir un ridicule si 30 bas et si grossier, ou même si fade et si indifférent, qu'il n'est ni permis au poète d'y faire attention, ni possible

aux spectateurs de s'en divertir. Le paysan ou l'ivrogne fournit quelques scènes à un farceur; il n'entre qu'à peine dans le vrai comique: comment pourrait-il faire le fond ou l'action principale de la comédie? «Ces caractères, dit-on, sont naturels.» Ainsi, par cette règle, on occupera bientôt tout l'amphithéâtre d'un laquais qui siffle, d'un malade dans sa garde-robe, d'un homme ivre qui dort ou qui vomit: y a-t-il rien de plus naturel? C'est le propre d'un efféminé de se lever tard, de passer une partie du jour à sa toilette, de se voir au miroir, de se parfumer, de se mettre des mouches, de recevoir des billets et d'y faire réponse. Mettez ce rôle sur la scène. Plus longtemps vous le ferez durer, un acte, deux actes, plus il sera naturel et conforme à son original; mais plus aussi il sera froid et insipide.

54. CORNEILLE ne peut être égalé dans les endroits où il excelle: il a pour lors un caractère original et inimitable; mais il est inégal. Ses premières comédies[1] sont sèches, languissantes, et ne laissaient pas espérer qu'il dût ensuite aller si loin; comme ses dernières font qu'on s'étonne qu'il ait pu tomber de si haut. Dans quelques-unes de ses meilleures pièces il y a des fautes inexcusables contre les mœurs,[2] un style de déclamateur qui arrête l'action et la fait languir, des négligences dans les vers et dans l'expression qu'on ne peut comprendre en un si grand homme. Ce qu'il a eu en lui de plus éminent, c'est l'esprit, qu'il avait sublime, auquel il a été redevable de certains vers, les plus heureux qu'on ait jamais lus[3] ailleurs, de la conduite de son théâtre, qu'il a quelquefois hasardée contre les règles des anciens, et enfin de ses dénoûments, car il ne s'est pas toujours assujetti au goût des Grecs et à leur grande simplicité:

il a aimé au contraire à charger la scène d'événements dont il est presque toujours sorti avec succès : admirable surtout par l'extrême variété et le peu de rapport qui se trouve pour le dessein entre un si grand nombre de poèmes qu'il a composés. Il semble qu'il y ait plus de 5 ressemblance dans ceux de RACINE, et qui[1] tendent un peu plus à une même chose ; mais il est égal, soutenu, toujours le même partout, soit pour le dessein et la conduite de ses pièces, qui sont justes, régulières, prises dans le bon sens et dans la nature, soit pour la versifi- 10 cation, qui est correcte, riche dans ses rimes, élégante, nombreuse, harmonieuse : exact imitateur des anciens, dont il a suivi scrupuleusement la netteté et la simplicité de l'action ; à qui le grand et le merveilleux n'ont pas même manqué, ainsi qu'à Corneille, ni le touchant ni le 15 pathétique. Quelle plus grande tendresse que celle qui est répandue dans tout *le Cid*, dans *Polyeucte* et dans *les Horaces* ? Quelle grandeur ne se remarque point en Mithridate, en Porus[2] et en Burrhus ?[3] Ces passions encore favorites des anciens, que les tragiques aimaient 20 à exciter sur les théâtres, et qu'on nomme la terreur et la pitié, ont été connues de ces deux poètes. Oreste, dans l'*Andromaque* de Racine, et *Phèdre* du même auteur, comme l'*Œdipe*[4] et *les Horaces* de Corneille, en sont la preuve. Si cependant il est permis de faire entre eux 25 quelque comparaison et les marquer l'un et l'autre par ce qu'ils ont eu de plus propre et par ce qui éclate le plus ordinairement dans leurs ouvrages, peut-être qu'on pourrait parler ainsi : « Corneille nous assujettit à ses caractères et à ses idées, Racine se conforme aux nôtres ; 30 celui-là peint les hommes comme ils devraient être, celui-ci les peint tels qu'ils sont. Il y a plus dans le

premier de ce que l'on admire, et de ce que l'on doit même imiter ; il y a plus dans le second de ce que l'on reconnaît dans les autres, ou de ce que l'on éprouve dans soi-même. L'un élève, étonne, maîtrise, instruit ; l'autre
5 plaît, remue, touche, pénètre. Ce qu'il y a de plus beau, de plus noble et de plus impérieux dans la raison est manié par le premier ; et par l'autre ce qu'il y a de plus flatteur et de plus délicat dans la passion. Ce sont dans celui-là des maximes, des règles, des préceptes ; et
10 dans celui-ci du goût et des sentiments. L'on est plus occupé aux pièces de Corneille ; l'on est plus ébranlé et plus attendri à celles de Racine. Corneille est plus moral, Racine plus naturel. Il semble que l'un imite SOPHOCLE, et que l'autre doit plus à EURIPIDE. »[1]

15 56. Tout écrivain, pour écrire nettement, doit se mettre à la place de ses lecteurs, examiner son propre ouvrage comme quelque chose qui lui est nouveau, qu'il lit pour la première fois, où il n'a nulle part, et que l'auteur aurait soumis à sa critique, et se persuader en-
20 suite qu'on n'est pas entendu seulement à cause que l'on s'entend soi-même, mais parce qu'on est en effet intelligible.

57. L'on n'écrit que pour être entendu; mais il faut du moins, en écrivant, faire entendre de belles choses.
25 L'on doit avoir une diction pure, et user de termes qui soient propres, il est vrai; mais il faut que ces termes si propres expriment des pensées nobles, vives, solides, et qui renferment un très beau sens. C'est faire de la pureté et de la clarté du discours un mauvais usage que
30 de les faire servir à une matière aride, infructueuse, qui est sans sel, sans utilité, sans nouveauté. Que sert aux lecteurs de comprendre aisément et sans peine des choses

frivoles et puériles, quelquefois fades et communes, et d'être moins incertains de la pensée d'un auteur qu'ennuyés de son ouvrage?

Si l'on jette quelque profondeur dans certains écrits, si l'on affecte une finesse de tour, et quelquefois une trop grande délicatesse, ce n'est que par la bonne opinion qu'on a de ses lecteurs.

60. L'on écrit régulièrement[1] depuis vingt années; l'on est esclave de la construction; l'on a enrichi la langue de nouveaux mots, secoué le joug du latinisme, et réduit le style à la phrase purement française; l'on a presque retrouvé le nombre que MALHERBE et BALZAC avaient les premiers rencontré, et que tant d'auteurs depuis eux ont laissé perdre; l'on a mis enfin dans le discours tout l'ordre et toute la netteté dont il est capable: cela conduit insensiblement à y mettre de l'esprit.

61. Il y a des artisans ou des habiles dont l'esprit est aussi vaste que l'art et la science qu'ils professent. Ils lui rendent avec avantage, par le génie et par l'invention, ce qu'ils tiennent d'elle et de ses principes. Ils sortent de l'art pour l'ennoblir, s'écartent des règles si elles ne les conduisent pas au grand et au sublime. Ils marchent seuls et sans compagnie, mais ils vont fort haut et pénètrent fort loin, toujours sûrs et confirmés par le succès des avantages que l'on tire quelquefois de l'irrégularité. Les esprits justes, doux, modérés, non seulement ne les atteignent pas, ne les admirent pas, mais ils ne les comprennent point, et voudraient encore moins les imiter. Ils demeurent tranquilles dans l'étendue de leur sphère, vont jusques à un certain point qui fait les bornes de leur capacité et de leurs lumières; ils ne vont pas plus loin, parce qu'ils ne voient rien au delà. Ils ne

peuvent au plus qu'être les premiers d'une seconde classe, et exceller dans le médiocre.

62. La critique souvent n'est pas une science; c'est un métier, où il faut plus de santé que d'esprit, plus de 5 travail que de capacité, plus d'habitude que de génie. Si elle vient d'un homme qui ait moins de discernement que de lecture et qu'elle s'exerce sur de certains chapitres, elle corrompt et les lecteurs et l'écrivain.

63. Je conseille à un auteur né copiste, et qui a l'ex-10 trême modestie de travailler d'après quelqu'un, de ne se choisir pour exemplaires[1] que ces sortes d'ouvrages où il entre de l'esprit, de l'imagination, ou même de l'érudition: s'il n'atteint pas ses originaux, du moins il en approche, et il se fait lire. Il doit au contraire éviter comme un 15 écueil de vouloir imiter ceux qui écrivent par humeur,[2] que le cœur fait parler, à qui il inspire les termes et les figures, et qui tirent, pour ainsi dire, de leurs entrailles, tout ce qu'ils expriment sur le papier; dangereux modèles et tout propres à faire tomber dans le froid, dans le bas 20 et dans le ridicule ceux qui s'ingèrent de les suivre. En effet, je rirais d'un homme qui voudrait sérieusement parler mon ton de voix, ou me ressembler de visage.

67. Celui qui n'a égard en écrivant qu'au goût de son siècle songe plus à sa personne qu'à ses écrits. Il faut 25 toujours tendre à la perfection; et alors cette justice qui nous est quelquefois refusée par nos contemporains, la postérité sait nous la rendre.

69. HORACE ou DESPRÉAUX[3] l'a dit avant vous.—Je le crois sur votre parole; mais je l'ai dit comme mien. 30 Ne puis-je penser après eux une chose vraie, et que d'autres encore penseront après moi?[4]

DU MÉRITE PERSONNEL

1. Qui peut, avec les plus rares talents et le plus excellent mérite, n'être pas convaincu de son inutilité, quand il considère qu'il laisse en mourant un monde qui ne se sent pas de sa perte et où tant de gens se trouvent pour le remplacer?

2. De bien des gens il n'y a que le nom qui vale[1] quelque chose. Quand vous les voyez de fort près, c'est moins que rien; de loin ils imposent.

3. Tout persuadé que je suis que ceux que l'on choisit pour de différents emplois, chacun selon son génie et sa profession, font bien, je me hasarde de dire qu'il se peut faire qu'il y ait au monde plusieurs personnes, connues ou inconnues, que l'on n'emploie pas, qui feraient très-bien; et je suis induit à ce sentiment par le merveilleux succès de certaines gens que le hasard seul a placés, et de qui jusques alors on n'avait pas attendu de fort grandes choses.

Combien d'hommes admirables, et qui avaient de très beaux génies, sont morts sans qu'on en ait parlé! Combien vivent encore dont on ne parle point, et dont on ne parlera jamais!

5. Personne presque ne s'avise de lui-même du mérite d'un autre.

Les hommes sont trop occupés d'eux-mêmes pour avoir le loisir de pénétrer ou de discerner les autres: de là vient qu'avec un grand mérite et une plus grande modestie l'on peut être longtemps ignoré.

6. Le génie et les grands talents manquent souvent, quelquefois aussi les seules occasions: tels peuvent être loués de ce qu'ils ont fait, et tels de ce qu'ils auraient fait.

9. Il n'y a point au monde un si pénible métier que celui de se faire un grand nom: la vie s'achève que l'on a à peine ébauché son ouvrage.

12. Il faut en France beaucoup de fermeté et une 5 grande étendue d'esprit pour se passer des charges et des emplois, et consentir ainsi à demeurer chez soi et à ne rien faire. Personne presque n'a assez de mérite pour jouer ce rôle avec dignité, ni assez de fond pour remplir le vide du temps, sans ce que le vulgaire appelle 10 des affaires. Il ne manque cependant à l'oisiveté du sage qu'un meilleur nom, et que méditer, parler, lire et être tranquille s'appelât travailler.

21. S'il est heureux d'avoir de la naissance, il ne l'est pas moins d'être tel qu'on ne s'informe plus si vous en 15 avez.

22. Il apparaît de temps en temps sur la surface de la terre des hommes rares, exquis, qui brillent par leur vertu, et dont les qualités éminentes jettent un éclat prodigieux. Semblables à ces étoiles extraordinaires 20 dont on ignore les causes, et dont on sait encore moins ce qu'elles deviennent après avoir disparu, ils n'ont ni aïeuls[1] ni descendants; ils composent seuls toute leur race.

24. Quand on excelle dans son art, et qu'on lui donne 25 toute la perfection dont il est capable, l'on en sort en quelque manière, et l'on s'égale à ce qu'il y a de plus noble et de plus relevé. V * * est un peintre,[2] C * * un musicien,[3] et l'auteur de *Pyrame*[4] est un poète; mais MIGNARD[5] est MIGNARD, LULLI[6] est LULLI, et COR- 30 NEILLE est CORNEILLE.

25. Un homme libre, et qui n'a point de femme, s'il a quelque esprit peut s'élever au-dessus de sa fortune, se

mêler dans le monde, et aller de pair avec les plus honnêtes gens. Cela est moins facile à celui qui est engagé ; il semble que le mariage met tout le monde dans son ordre.

27. L'or éclate, dites-vous, sur les habits de *Philémon.* 5
— Il éclate de même chez les marchands. — Il est habillé des plus belles étoffes. — Le sont-elles moins toutes déployées dans les boutiques et à la pièce ? — Mais la broderie et les ornements y ajoutent encore la magnificence. — Je loue donc le travail de l'ouvrier. — 10
Si on lui demande quelle heure il est, il tire une montre qui est un chef-d'œuvre ; la garde de son épée est un onyx ; il a au doigt un gros diamant qu'il fait briller aux yeux, et qui est parfait ; il ne lui manque aucune de ces curieuses bagatelles que l'on porte sur soi autant pour la 15
vanité que pour l'usage, et il ne se plaint non plus toute sorte de parure qu'un jeune homme qui a épousé une riche vieille. — Vous m'inspirez enfin de la curiosité ; il faut voir du moins des choses si précieuses : envoyez-moi cet habit et ces bijoux de Philémon, je vous quitte 20
de la personne.

Tu te trompes, Philémon, si avec ce carrosse brillant, ce grand nombre de coquins qui te suivent, et ces six bêtes qui te traînent, tu penses que l'on t'en estime davantage : l'on écarte tout cet attirail, qui t'est étranger, 25
pour pénétrer jusques à toi, qui n'es qu'un fat.

Ce n'est pas qu'il faut[1] quelquefois pardonner à celui qui, avec un grand cortège, un habit riche et un magnifique équipage, s'en croit plus de naissance et plus d'esprit : il lit cela dans la contenance et dans les yeux 30
de ceux qui lui parlent.

32. *Æmile*[2] était né ce que les plus grands hommes

ne deviennent qu'à force de règles, de méditation et d'exercice. Il n'a eu dans ses premières années qu'à remplir des talents qui étaient naturels et qu'à se livrer à son génie. Il a fait, il a agi, avant que de[1] savoir, ou
5 plutôt il a su ce qu'il n'avait jamais appris. Dirai-je que les jeux de son enfance ont été plusieurs victoires? Une vie accompagnée d'un extrême bonheur joint à une longue expérience serait illustre par les seules actions qu'il avait achevées dès sa jeunesse. Toutes les occa-
10 sions de vaincre qui se sont depuis offertes, il les a embrassées; et celles qui n'étaient pas, sa vertu et son étoile les ont fait naître: admirable même et par les choses qu'il a faites, et par celles qu'il aurait pu faire. On l'a regardé comme un homme incapable de céder à
15 l'ennemi, de plier sous le nombre ou sous les obstacles; comme une âme du premier ordre, pleine de ressources et de lumières, et qui voyait encore où personne ne voyait plus; comme celui qui, à la tête des légions, était pour elles un présage de la victoire, et qui valait seul
20 plusieurs légions; qui était grand dans la prospérité, plus grand quand la fortune lui a été contraire (la levée d'un siège, une retraite, l'ont plus ennobli[2] que ses triomphes; l'on ne met qu'après les batailles gagnées et les villes prises); qui était rempli de gloire et de modestie: on
25 lui a entendu dire: *Je fuyais*, avec la même grâce qu'il disait: *Nous les battîmes;* un homme dévoué à l'État, à sa famille, au chef de sa famille,[3] sincère pour Dieu et pour les hommes; autant admirateur du mérite que s'il lui eût été moins propre et moins familier; un homme
30 vrai, simple, magnanime, à qui il n'a manqué que les moindres vertus.

33. Les enfants des Dieux,[4] pour ainsi dire, se tirent

des règles de la nature, et en sont comme l'exception. Ils n'attendent presque rien du temps et des années. Le mérite chez eux devance l'âge. Ils naissent instruits, et ils sont plus tôt des hommes parfaits que le commun des hommes ne sort de l'enfance.

34. Les vues courtes, je veux dire les esprits bornés et resserrés dans leur petite sphère, ne peuvent comprendre cette universalité de talents que l'on remarque quelquefois dans un même sujet : où ils voient l'agréable, ils en excluent le solide ; où ils croient découvrir les grâces du corps, l'agilité, la souplesse, la dextérité, ils ne veulent plus y admettre les dons de l'âme, la profondeur, la réflexion, la sagesse : ils ôtent de l'histoire de Socrate qu'il ait dansé.

37. Il n'y a rien de si simple et de si imperceptible, où il n'entre des manières qui nous décèlent. Un sot ni n'entre, ni ne sort, ni ne s'assied, ni ne se lève, ni ne se tait, ni n'est sur ses jambes, comme un homme d'esprit.

38. Je connais *Mopse*[1] d'une visite qu'il m'a rendue sans me connaître. Il prie des gens qu'il ne connaît point de le mener chez d'autres dont il n'est pas connu ; il écrit à des femmes qu'il connaît de vue ; il s'insinue dans un cercle de personnes respectables, et qui ne savent quel il est, et là, sans attendre qu'on l'interroge, ni sans sentir qu'il interrompt, il parle, et souvent, et ridiculement. Il entre une autre fois dans une assemblée, se place où il se trouve, sans nulle attention aux autres ni à soi-même ; on l'ôte d'une place destinée à un ministre, il s'assied à celle du duc et pair ; il est là précisément celui dont la multitude rit, et qui seul est grave et ne rit point. Chassez un chien du fauteuil du

roi, il grimpe à la chaire du prédicateur ; il regarde le monde indifféremment, sans embarras, sans pudeur ; il n'a pas, non plus que le sot, de quoi rougir.

39. *Celse* est d'un rang médiocre, mais des grands le souffrent ; il n'est pas savant, il a relation avec des savants ; il a peu de mérite, mais il connaît des gens qui en ont beaucoup ; il n'est pas habile, mais il a une langue qui peut servir de truchement, et des pieds qui peuvent le porter d'un lieu à un autre. C'est un homme né pour les allées et venues, pour écouter des propositions et les rapporter, pour en faire d'office, pour aller plus loin que sa commission et en être désavoué, pour réconcilier des gens qui se querellent à leur première entrevue, pour réussir dans une affaire et en manquer mille, pour se donner toute la gloire de la réussite, et pour détourner sur les autres la haine d'un mauvais succès. Il sait les bruits communs, les historiettes de la ville. Il ne fait rien, il dit ou il écoute ce que les autres font, il est nouvelliste. Il sait même le secret des familles. Il entre dans de plus hauts mystères : il vous dit pourquoi celui-ci est exilé, et pourquoi on rappelle cet autre. Il connaît le fond et les causes de la brouillerie des deux frères, et de la rupture des deux ministres.[1] N'a-t-il pas prédit aux premiers les tristes suites de leur mésintelligence ? N'a-t-il pas dit de ceux-ci que leur union ne serait pas longue ? N'était-il pas présent à de certaines paroles qui furent dites ? N'entra-t-il pas dans une espèce de négociation ? Le voulut-on croire ? fut-il écouté ? A qui parlez-vous de ces choses ? Qui a eu plus de part que Celse à toutes ces intrigues de cour ? Et si cela n'était ainsi, s'il ne l'avait du moins ou rêvé ou imaginé, songerait-il à vous le faire croire ?

aurait-il l'air important et mystérieux d'un homme revenu d'une ambassade ?

41. Celui qui, logé chez soi dans un palais, avec deux appartements pour les deux saisons, vient coucher au Louvre dans un entre-sol, n'en use pas ainsi par modestie.[1] Cet autre qui, pour conserver une taille fine, s'abstient du vin et ne fait qu'un seul repas, n'est ni sobre ni tempérant ; et d'un troisième qui, importuné d'un ami pauvre, lui donne enfin quelque secours, l'on dit qu'il achète son repos, et nullement qu'il est libéral. Le motif seul fait le mérite des actions des hommes, et le désintéressement y met la perfection.

42. La fausse grandeur[2] est farouche et inaccessible : comme elle sent son faible, elle se cache, ou du moins ne se montre pas de front, et ne se fait voir qu'autant qu'il faut pour imposer et ne paraître point ce qu'elle est, je veux dire une vraie petitesse. La véritable grandeur est libre, douce, familière, populaire ; elle se laisse toucher et manier, elle ne perd rien à être vue de près ; plus on la connaît, plus on l'admire. Elle se courbe par bonté vers ses inférieurs, et revient sans effort dans son naturel ; elle s'abandonne quelquefois, se néglige, se relâche de ses avantages, toujours en pouvoir de les reprendre et de les faire valoir ; elle rit, joue et badine, mais avec dignité ; on l'approche tout ensemble avec liberté et avec retenue. Son caractère est noble et facile, inspire le respect et la confiance, et fait que les princes nous paraissent grands et très grands, sans nous faire sentir que nous sommes petits.

DES FEMMES

1. Les hommes et les femmes conviennent rarement sur le mérite d'une femme; leurs intérêts sont trop différents. Les femmes ne se plaisent point les unes aux autres par les mêmes agréments qu'elles plaisent aux
5 hommes; mille manières, qui allument dans ceux-ci les grandes passions, forment entre elles l'aversion et l'antipathie.

10. Un beau visage est le plus beau de tous les spectacles; et l'harmonie la plus douce est le son de voix de
10 celle que l'on aime.

16. Les femmes s'attachent aux hommes par les faveurs qu'elles leur accordent: les hommes guérissent par ces mêmes faveurs.

29. Le rebut de la cour est reçu à la ville dans une
15 ruelle,[1] où il défait le magistrat, même en cravate et en habit gris,[2] ainsi que le bourgeois en baudrier,[3] les écarte et devient maître de la place: il est écouté, il est aimé; on ne tient guère plus d'un moment contre une écharpe d'or[4] et une plume blanche, contre un homme qui *parle*
20 *au roi*[5] *et voit les ministres.* Il fait des jaloux et des jalouses; on l'admire, il fait envie: à quatre lieues de la,[6] il fait pitié.

30. Un homme de la ville est pour une femme de province ce qu'est pour une femme de ville un homme
25 de la cour.

49. Pourquoi s'en prendre aux hommes de ce que les femmes ne sont pas savantes?[7] Par quelles lois, par quels édits, par quels rescrits leur a-t-on défendu d'ouvrir les yeux et de lire, de retenir ce qu'elles ont lu et
30 d'en rendre compte ou dans leur conversation, ou par

leurs ouvrages? Ne se sont-elles pas au contraire établies elles-mêmes dans cet usage de ne rien savoir, ou par la faiblesse de leur complexion, ou par la paresse de leur esprit, ou par le soin de leur beauté, ou par une certaine légèreté qui les empêche de suivre une longue étude, ou par le talent et le génie qu'elles ont seulement pour les ouvrages de la main, ou par les distractions que donnent les détails d'un domestique,[1] ou par un éloignement naturel des choses pénibles et sérieuses, ou par une curiosité toute différente de celle qui contente l'esprit, ou par un tout autre goût que celui d'exercer leur mémoire? Mais à quelque cause que les hommes puissent devoir cette ignorance des femmes, ils sont heureux que les femmes, qui les dominent d'ailleurs par tant d'endroits,[2] aient sur eux cet avantage de moins.

On regarde une femme savante comme on fait[3] une belle arme: elle est ciselée artistement, d'une polissure admirable et d'un travail fort recherché; c'est une pièce de cabinet, que l'on montre aux curieux, qui n'est pas d'usage, qui ne sert ni à la guerre ni à la chasse, non plus qu'un cheval de manège, quoique le mieux instruit du monde.

Si la science et la sagesse se trouvent unies en un même sujet, je ne m'informe plus du sexe: j'admire; et si vous me dites qu'une femme sage ne songe guère à être savante, ou qu'une femme savante n'est guère sage, vous avez déjà oublié ce que vous venez de lire, que les femmes ne sont détournées des sciences que par de certains défauts. Concluez donc vous-mêmes que moins elles auraient de ces défauts, plus elles seraient sages, et qu'ainsi une femme sage n'en serait que plus propre à devenir savante, ou qu'une femme savante, n'étant telle que parce qu'elle aurait pu vaincre beaucoup de défauts, n'en est que plus sage.

53. Les femmes sont extrêmes : elles sont meilleures ou pires que les hommes.

5 58. Un homme est plus fidèle au secret d'autrui qu'au sien propre ; une femme au contraire garde mieux son secret que celui d'autrui.

66. Il coûte peu aux femmes de dire ce qu'elles ne sentent point : il coûte encore moins aux hommes de 10 dire ce qu'ils sentent.

DU CŒUR

1. Il y a un goût dans la pure amitié où ne peuvent atteindre ceux qui sont nés médiocres.

23. Être avec des gens qu'on aime, cela suffit ; rêver, leur parler, ne leur parler point, penser à eux, penser à 15 des choses plus indifférentes, mais auprès d'eux, tout est égal.

33. Le commencement et le déclin de l'amour se font sentir par l'embarras où l'on est de se trouver seuls.

34. Cesser d'aimer, preuve sensible que l'homme est 20 borné, et que le cœur a ses limites.

C'est faiblesse que d'aimer ; c'est souvent une autre faiblesse que de guérir.

On guérit comme on se console ; on n'a pas dans le cœur de quoi toujours pleurer et toujours aimer.

25 35. Il devrait y avoir dans le cœur des sources inépuisables de douleur pour de certaines pertes. Ce n'est guère par vertu ou par force d'esprit que l'on sort d'une grande affliction : l'on pleure amèrement, et l'on est sensiblement touché ; mais l'on est ensuite si faible ou si léger 30 que l'on se console.

39. L'on veut faire tout le bonheur, ou si cela ne se peut ainsi, tout le malheur de ce qu'on aime.

45. Il y a du plaisir à rencontrer les yeux de celui à qui l'on vient de donner.

47. La libéralité consiste moins à donner beaucoup qu'à donner à propos. 5

57. Il est doux de voir ses amis par goût et par estime ; il est pénible de les cultiver par intérêt : c'est *solliciter*.

63. Il faut rire avant que d'être heureux, de peur de mourir sans avoir ri. 10

64. La vie est courte, si elle ne mérite ce nom que lorsqu'elle est agréable, puisque, si l'on cousait ensemble toutes les heures que l'on passe avec ce qui plaît, l'on ferait à peine d'un grand nombre d'années une vie de quelques mois. 15

68. Comme nous nous affectionnons de plus en plus aux personnes à qui nous faisons du bien, de même nous haïssons violemment ceux que nous avons beaucoup offensés. 20

71. * * * *Drance*[1] veut passer pour gouverner son maître, qui n'en croit rien, non plus que le public : parler sans cesse à un grand que l'on sert, en des lieux et en des temps où il convient le moins, lui parler à l'oreille ou en des termes mystérieux, rire jusqu'à éclater en sa présence, lui couper la parole, se mettre entre lui et ceux qui lui parlent, dédaigner ceux qui viennent faire leur cour ou attendre impatiemment qu'ils se retirent, se mettre proche[2] de lui en une posture trop libre, figurer avec lui le dos appuyé à une cheminée, le tirer par son habit, lui marcher sur les talons, faire le familier, prendre des libertés, marquent mieux un fat qu'un favori. * * * 25 30

74. Les hommes rougissent moins de leurs crimes que de leurs faiblesses et de leur vanité. Tel est ouvertement injuste, violent, perfide, calomniateur, qui cache son amour ou son ambition, sans autre vue que de la cacher.

75. Le cas n'arrive guère où l'on puisse dire : «J'étais ambitieux ;» ou on ne l'est point, ou on l'est toujours ; mais le temps vient où l'on avoue que l'on a aimé.

78. L'on est plus sociable et d'un meilleur commerce par le cœur que par l'esprit.

80. Il n'y a guère au monde un plus bel excès que celui de la reconnaissance.

82. Il y a des lieux que l'on admire ; il y en a d'autres qui touchent, et où l'on aimerait à vivre.

Il me semble que l'on dépend des lieux pour l'esprit, l'humeur, la passion, le goût et les sentiments.

85. Il y a quelquefois dans le cours de la vie de si chers plaisirs et de si tendres engagements que l'on nous défend, qu'il est naturel de désirer du moins qu'ils fussent permis : de si grands charmes ne peuvent être surpassés que par celui de savoir y renoncer par vertu.

DE LA SOCIÉTÉ ET DE LA CONVERSATION

2. C'est le rôle d'un sot d'être importun : un homme habile sent s'il convient ou s'il ennuie ; il sait disparaître le moment qui précède celui où il serait de trop quelque part.

3. L'on marche sur les mauvais plaisants, et il pleut par tout pays de cette sorte d'insectes. Un bon plaisant est une pièce rare ; à un homme qui est né tel, il est encore fort délicat[1] d'en soutenir longtemps le personnage : il n'est pas ordinaire que celui qui fait rire se fasse estimer.

4. Il y a beaucoup d'esprits obscènes, encore plus de médisants ou de satiriques, peu de délicats. Pour badiner avec grâce, et rencontrer heureusement sur les plus petits sujets, il faut trop de manières, trop de politesse, et même trop de fécondité : c'est créer que de railler 5 ainsi, et faire quelque chose de rien.

7. Que dites-vous ? Comment ? Je n'y suis pas : vous plairait-il de recommencer ? J'y suis encore moins. Je devine enfin : vous voulez, *Acis*, me dire qu'il fait froid ; que ne disiez-vous : « Il fait froid » ? Vous voulez 10 m'apprendre qu'il pleut ou qu'il neige ; dites : « Il pleut, il neige. » Vous me trouvez bon visage et vous désirez de m'en féliciter ; dites : « Je vous trouve bon visage. » — Mais, répondez-vous, cela est bien uni et bien clair ; et d'ailleurs, qui ne pourrait pas en dire autant ? — Qu'im- 15 porte, Acis ? Est-ce un si grand mal d'être entendu quand on parle et de parler comme tout le monde ? Une chose vous manque, Acis, à vous et à vos semblables, les diseurs de *phébus ;* vous ne vous en défiez point, et je vais vous jeter dans l'étonnement : une chose vous 20 manque, c'est l'esprit. Ce n'est pas tout : il y a en vous une chose de trop, qui est l'opinion d'en avoir plus que les autres ; voilà la source de votre pompeux galimatias, de vos phrases embrouillées, et de vos grands mots qui ne signifient rien. Vous abordez cet homme, ou vous 25 entrez dans cette chambre ; je vous tire par votre habit, et vous dis à l'oreille : « Ne songez point à avoir de l'esprit, n'en ayez point, c'est votre rôle ; ayez, si vous pouvez, un langage simple, et tel que l'ont ceux en qui vous ne trouvez aucun esprit ; peut-être alors croira-t-on 30 que vous en avez. »

9. *Arrias* a tout lu, a tout vu, il veut le persuader

ainsi; c'est un homme universel, et il se donne pour tel; il aime mieux mentir que de se taire ou de paraître ignorer quelque chose. On parle à la table d'un grand d'une cour du Nord: il prend la parole, et l'ôte à ceux
5 qui allaient dire ce qu'ils en savent; il s'oriente dans cette région lointaine comme s'il en était originaire; il discourt des mœurs de cette cour, des femmes du pays, de ses lois et de ses coutumes; il récite[1] des historiettes qui y sont arrivées; il les trouve plaisantes, et il en rit le
10 premier jusqu'à éclater. Quelqu'un se hasarde de[2] le contredire, et lui prouve nettement qu'il dit des choses qui ne sont pas vraies. Arrias ne se trouble point, prend feu au contraire contre l'interrupteur: «Je n'avance, lui dit-il, je ne raconte rien que je ne sache d'original; je
15 l'ai appris de *Sethon*, ambassadeur de France dans cette cour, revenu à Paris depuis quelques jours, que je connais familièrement, que j'ai fort interrogé, et qui ne m'a caché aucune circonstance.» Il reprenait le fil de sa narration avec plus de confiance qu'il ne l'avait commencée,
20 lorsque l'un des conviés lui dit: «C'est Sethon à qui vous parlez, lui-même, et qui arrive de son ambassade.»

11. Etre infatué de soi, et s'être fortement persuadé qu'on a beaucoup d'esprit, est un accident qui n'arrive guère qu'à celui qui n'en a point, ou qui en a peu. Mal-
25 heur pour lors à qui est exposé à l'entretien d'un tel personnage! combien de jolies phrases lui faudra-t-il essuyer! combien de ces mots aventuriers[3] qui paraissent subitement, durent un temps, et que bientôt on ne revoit plus! S'il conte une nouvelle, c'est moins pour l'ap-
30 prendre à ceux qui l'écoutent que pour avoir le mérite de la dire, et de la dire bien; elle devient un roman entre ses mains: il fait penser les gens à sa manière, leur met

en la bouche ses petites façons de parler, et les fait toujours parler longtemps; il tombe ensuite en des parenthèses qui peuvent passer pour épisodes, mais qui font oublier le gros de l'histoire, et à lui qui vous parle, et à vous qui le supportez. Que serait-ce de vous et de 5 lui, si quelqu'un ne survenait heureusement pour déranger le cercle et faire oublier la narration?

12. J'entends *Théodecte*[1] de l'antichambre; il grossit sa voix à mesure qu'il s'approche. Le voilà entré: il rit, il crie, il éclate; on bouche ses oreilles, c'est un tonnerre. 10 Il n'est pas moins redoutable par les choses qu'il dit que par le ton dont il parle. Il ne s'apaise, et il ne revient de ce grand fracas que pour bredouiller des vanités et des sottises. Il a si peu d'égard au temps, aux personnes, aux bienséances, que chacun a son fait sans qu'il ait eu 15 intention de le lui donner; il n'est pas encore assis qu'il a, à son insu, désobligé toute l'assemblée. A-t-on servi, il se met le premier à table, et dans la première place; les femmes sont à sa droite et à sa gauche. Il mange, il boit, il conte, il plaisante, il interrompt tout à la fois. 20 Il n'a nul discernement des personnes, ni du maître, ni des conviés; il abuse de la folle déférence qu'on a pour lui. Est-ce lui, est-ce *Eutidème* qui donne le repas? Il rappelle à soi toute l'autorité de la table, et il y a un moindre inconvénient à la lui laisser entière qu'à la lui 25 disputer. Le vin et les viandes n'ajoutent rien à son caractère. Si l'on joue, il gagne au jeu; il veut railler celui qui perd, et il l'offense; les rieurs sont pour lui; il n'y a sorte de fatuités qu'on ne lui passe. Je cède enfin et je disparais, incapable de souffrir plus longtemps 30 Théodecte et ceux qui le souffrent.

14. Il faut laisser parler[2] cet inconnu que le hasard a

placé auprès de vous dans une voiture publique, à une fête ou à un spectacle; et il ne vous coûtera bientôt pour le connaître que de l'avoir écouté: vous saurez son nom, sa demeure, son pays, l'état de son bien, son emploi, celui de son père, la famille dont est sa mère, sa parenté, ses alliances, les armes de sa maison; vous comprendrez qu'il est noble, qu'il a un château, de beaux meubles, des valets et un carrosse.

15. Il y a des gens qui parlent un moment avant que d'avoir pensé. Il y en a d'autres qui ont une fade attention à ce qu'ils disent, et avec qui l'on souffre dans la conversation de tout le travail de leur esprit; ils sont comme pétris de phrases et de petits tours d'expression, concertés dans leur geste et dans tout leur maintien; ils sont *puristes*, et ne hasardent pas le moindre mot, quand il devrait faire le plus bel effet du monde; rien d'heureux ne leur échappe, rien ne coule de source et avec liberté: ils parlent proprement et ennuyeusement.

16. L'esprit de la conversation consiste bien moins à en montrer beaucoup qu'à en faire trouver aux autres: celui qui sort de votre entretien content de soi et de son esprit l'est de vous parfaitement. Les hommes n'aiment point à vous admirer, ils veulent plaire; ils cherchent moins à être instruits, et même réjouis, qu'à être goûtés et applaudis; et le plaisir le plus délicat est de faire celui d'autrui.

17. Il ne faut pas qu'il y ait trop d'imagination[1] dans nos conversations ni dans nos écrits; elle ne produit souvent que des idées vaines et puériles, qui ne servent point à perfectionner le goût et à nous rendre meilleurs. Nos pensées doivent être prises dans le bon sens et la droite raison, et doivent être un effet de notre jugement.

19. Dire d'une chose modestement ou qu'elle est bonne ou qu'elle est mauvaise, et les raisons pourquoi elle est telle, demande du bon sens et de l'expression: c'est une affaire. Il est plus court de prononcer d'un ton décisif, et qui emporte la preuve de ce qu'on avance, ou qu'elle est exécrable ou qu'elle est miraculeuse.

21. Celui qui dit incessamment qu'il a de l'honneur et de la probité, qu'il ne nuit à personne, qu'il consent que le mal qu'il fait aux autres lui arrive, et qui jure pour le faire croire, ne sait pas même contrefaire l'homme de bien.

Un homme de bien ne saurait empêcher par toute sa modestie qu'on ne dise de lui ce qu'un malhonnête homme sait dire de soi.[1]

28. Il y a des gens d'une certaine étoffe ou d'un certain caractère avec qui il ne faut jamais se commettre, de qui l'on ne doit se plaindre que le moins qu'il est possible, et contre qui il n'est pas même permis d'avoir raison.

31. Avec de la vertu, de la capacité et une bonne conduite, l'on peut être insupportable. Les manières, que l'on néglige comme de petites choses, sont souvent ce qui fait que les hommes décident de vous en bien ou en mal: une légère attention à les avoir douces et polies prévient leurs mauvais jugements. Il ne faut presque rien pour être cru fier, incivil, méprisant, désobligeant; il faut encore moins pour être estimé tout le contraire.

32. La politesse n'inspire pas toujours la bonté, l'équité, la complaisance, la gratitude; elle en donne du moins les apparences, et fait paraître l'homme au dehors comme il devrait être intérieurement.

L'on peut définir l'esprit de politesse, l'on ne peut en

fixer la pratique: elle suit l'usage et les coutumes reçues; elle est attachée aux temps, aux lieux, aux personnes, et n'est point la même dans les deux sexes ni dans les différentes conditions; l'esprit tout seul ne la fait pas deviner:
5 il fait qu'on la suit par imitation, et que l'on s'y perfectionne. Il y a des tempéraments qui ne sont susceptibles que de la politesse, et il y en a d'autres qui ne servent qu'aux grands talents ou à une vertu solide. Il est vrai que les manières polies donnent cours au mérite et le
10 rendent agréable, et qu'il faut avoir de bien éminentes qualités pour se soutenir sans la politesse.

Il me semble que l'esprit de politesse est une certaine attention à faire que, par nos paroles et par nos manières, les autres soient contents de nous et d'eux-mêmes.

15 37. Ne pouvoir supporter tous les mauvais caractères dont le monde est plein n'est pas un fort bon caractère: il faut dans le commerce des pièces d'or et de la monnaie.

39. L'on sait des gens qui avaient coulé leurs jours dans une union étroite: leurs biens étaient en commun;
20 ils n'avaient qu'une même demeure; ils ne se perdaient pas de vue. Ils se sont aperçus à plus de quatre-vingts ans qu'ils devaient se quitter l'un l'autre et finir leur société; ils n'avaient plus qu'un jour à vivre, et ils n'ont osé entreprendre de le passer ensemble; ils se sont
25 dépêchés de rompre avant que de mourir; ils n'avaient de fonds pour la complaisance que jusque-là. Ils ont trop vécu pour le bon exemple: un moment plus tôt ils mouraient sociables et laissaient après eux un rare modèle de la persévérance dans l'amitié.

30 40. L'intérieur des familles est souvent troublé par les défiances, par les jalousies et par l'antipathie, pendant que des dehors contents, paisibles et enjoués nous

trompent, et nous y font supposer une paix qui n'y est point: il y en a peu qui gagnent à être approfondies. Cette visite que vous rendez vient de suspendre une querelle domestique, qui n'attend que votre retraite pour recommencer.

41. Dans la société, c'est la raison qui plie la première. Les plus sages sont souvent menés par le plus fou et le plus bizarre: l'on étudie son faible, son humeur, ses caprices, l'on s'y accommode; l'on évite de le heurter, tout le monde lui cède. La moindre sérénité qui paraît sur son visage lui attire des éloges: on lui tient compte de n'être pas toujours insupportable. Il est craint, ménagé, obéi, quelquefois aimé.

47. G** et H** sont voisins de campagne, et leurs terres sont contiguës; ils habitent une contrée déserte et solitaire. Éloignés des villes et de tout commerce, il semblait que la fuite [1] d'une entière solitude ou l'amour de la société eût dû les assujettir à une liaison réciproque; il est cependant difficile d'exprimer la bagatelle qui les a fait rompre, qui les rend implacables l'un pour l'autre, et qui perpétuera leurs haines dans leurs descendants. Jamais des parents, et même des frères, ne se sont brouillés pour une moindre chose.

Je suppose qu'il n'y ait que deux hommes sur la terre, qui la possèdent seuls et qui la partagent toute entre eux deux: je suis persuadé qu'il leur naîtra bientôt quelque sujet de rupture, quand ce ne serait que pour les limites.

48. Il est souvent plus court et plus utile de cadrer aux autres que de faire que les autres s'ajustent à nous.

49. J'approche d'une petite ville [2], et je suis déjà sur une hauteur d'où je la découvre. Elle est située à mi-côte; une rivière baigne ses murs et coule ensuite dans

une belle prairie; elle a une forêt épaisse qui la couvre des vents froids et de l'aquilon. Je la vois dans un jour si favorable que je compte ses tours et ses clochers; elle me paraît peinte sur le penchant de la colline. Je me
5 récrie et je dis: «Quel plaisir de vivre sous un si beau ciel et dans ce séjour si délicieux!» Je descends dans la ville, où je n'ai pas couché deux nuits, que je ressemble à ceux qui l'habitent: j'en veux sortir.

50. Il y a une chose que l'on n'a point vue sous le
10 ciel, et que selon toutes les apparences on ne verra jamais: c'est une petite ville qui n'est divisée en aucuns partis; où les familles sont unies, et où les cousins se voient avec confiance; où un mariage n'engendre point une guerre civile; où la querelle des rangs ne se réveille
15 pas à tous moments par l'offrande, l'encens et le pain bénit, par les processions et par les obsèques; d'où l'on a banni les *caquets*, le mensonge et la médisance; où l'on voit parler ensemble le bailli et le président,[1] les élus et les assesseurs;[2] où le doyen vit bien avec ses chanoines, où
20 les chanoines ne dédaignent pas les chapelains, et où ceux-ci souffrent les chantres.

51. Les provinciaux et les sots sont toujours prêts à se fâcher, et à croire qu'on se moque d'eux ou qu'on les méprise: il ne faut jamais hasarder la plaisanterie, même
25 la plus douce et la plus permise, qu'avec des gens polis, ou qui ont de l'esprit.

53. Tout ce qui est mérite se sent, se discerne, se devine réciproquement: si l'on voulait être estimé il faudrait vivre avec des personnes estimables.

30 54. Celui qui est d'une éminence au-dessus des autres qui le met à couvert de la repartie, ne doit jamais faire une raillerie piquante.

55. Il y a de petits défauts que l'on abandonne volontiers à la censure, et dont nous ne haïssons pas à être raillés : ce sont de pareils défauts que nous devons choisir pour railler les autres.

57. La moquerie est souvent indigence d'esprit. 5

59. Si vous observez avec soin qui sont les gens qui ne peuvent louer, qui blâment toujours, qui ne sont contents de personne, vous reconnaîtrez que ce sont ceux mêmes dont personne n'est content.

61. Le plaisir de la société entre les amis se cultive 10 par une ressemblance de goût sur ce qui regarde les mœurs, et par quelque différence d'opinions sur les sciences : par là, ou l'on s'affermit dans ses sentiments, ou l'on s'exerce et l'on s'instruit par la dispute.[1]

62. L'on ne peut aller loin dans l'amitié, si l'on n'est 15 pas disposé à se pardonner les uns aux autres les petits défauts.

64. Le conseil, si nécessaire pour les affaires, est quelquefois, dans la société, nuisible à qui le donne, et inutile à celui à qui il est donné. Sur les mœurs, vous 20 faites remarquer des défauts ou que l'on n'avoue pas, ou que l'on estime des vertus ; sur les ouvrages, vous rayez les endroits qui paraissent admirables à leur auteur, où il se complaît davantage, où il croit s'être surpassé lui-même. Vous perdez ainsi la confiance de vos amis, 25 sans les avoir rendus ni meilleurs ni plus habiles.

65. L'on a vu,[2] il n'y a pas longtemps, un cercle de personnes des deux sexes, liées ensemble par la conversation et par un commerce d'esprit. Ils laissaient au vulgaire l'art de parler d'une manière intelligible ; une 30 chose dite entre eux peu clairement en entraînait une autre encore plus obscure, sur laquelle on enchérissait

par de vraies énigmes, toujours suivies de longs applaudissements : par tout ce qu'ils appelaient délicatesse, sentiments, tour et finesse d'expression, ils étaient enfin parvenus à n'être plus entendus et à ne s'entendre pas eux-mêmes. Il ne fallait, pour fournir à ces entretiens, ni bon sens, ni jugement, ni mémoire, ni la moindre capacité : il fallait de l'esprit, non pas du meilleur, mais de celui qui est faux, et où l'imagination a trop de part.

67. L'on parle impétueusement dans les entretiens, souvent par vanité ou par humeur, rarement avec assez d'attention. Tout occupé du désir de répondre à ce qu'on n'écoute point, l'on suit ses idées et on les explique sans le moindre égard pour les raisonnements d'autrui ; l'on est bien éloigné de trouver ensemble la vérité, l'on n'est pas encore convenu de celle que l'on cherche. Qui pourrait écouter ces sortes de conversations et les écrire, ferait voir quelquefois de bonnes choses qui n'ont nulle suite.

68. Il a régné pendant quelque temps une sorte de conversation fade et puérile, qui roulait toute sur des questions frivoles qui avaient relation [1] au cœur et à ce qu'on appelle passion ou tendresse. La lecture de quelques romans les avait introduites parmi les plus honnêtes gens [2] de la ville et de la cour ; ils s'en sont défaits, et la bourgeoisie les a reçues avec les pointes et les équivoques.

71. L'on dit par belle humeur, et dans la liberté de la conversation, de ces choses froides, qu'à la vérité l'on donne pour telles, et que l'on ne trouve bonnes que parce qu'elles sont extrêmement mauvaises. Cette manière basse de plaisanter [3] a passé du peuple, à qui

elle appartient, jusque dans une grande partie de la jeunesse de la cour, qu'elle a déjà infectée. Il est vrai qu'il y entre trop de fadeur et de grossièreté pour devoir craindre qu'elle s'étende plus loin, et qu'elle fasse de plus grands progrès dans un pays qui est le centre du bon goût et de la politesse. L'on doit cependant en inspirer le dégoût à ceux qui la pratiquent ; car bien que ce ne soit jamais sérieusement, elle ne laisse pas de tenir la place, dans leur esprit et dans le commerce ordinaire, de quelque chose de meilleur.

73. « *Lucain*[1] *a dit une jolie chose. . . Il y a un beau mot de Claudien*[2]*. . . Il y a cet endroit de Sénèque*[3] *;* » et là-dessus une longue suite de latin que l'on cite souvent devant des gens qui ne l'entendent pas, et qui feignent de l'entendre. Le secret serait d'avoir un grand sens et bien de l'esprit ; car ou l'on se passerait des anciens, ou, après les avoir lus avec soin, l'on saurait encore choisir les meilleurs et les citer à propos.

74. *Hermagoras* ne sait pas qui est roi de Hongrie,[4] il s'étonne de n'entendre faire aucune mention du roi de Bohême[5] ; ne lui parlez pas des guerres de Flandre et de Hollande[6] ; dispensez-le du moins de vous répondre : il confond les temps, il ignore quand elles ont commencé, quand elles ont fini ; combats, sièges, tout lui est nouveau. Mais il est instruit de la guerre des Géants,[7] il en raconte le progrès et les moindres détails, rien ne lui est échappé ; il débrouille de même l'horrible chaos des deux empires, le Babylonien et l'Assyrien ; il connaît à fond les Égyptiens et leurs dynasties. Il n'a jamais vu Versailles, il ne le verra point : il a presque vu la tour de Babel, il en compte les degrés ; il sait combien d'architectes ont présidé à cet ouvrage ; il sait le nom

des architectes. Dirai-je qu'il croit Henri IV fils de Henri III ?[1] Il néglige du moins de rien connaître aux maisons de France, d'Autriche et de Bavière : « Quelles minuties ! » dit-il, pendant qu'il récite de mémoire toute
5 une liste des rois des Mèdes ou de Babylone, et que les noms d'Apronal,[2] d'Hérigebal, de Noesnemordach, de Mardokempad, lui sont aussi familiers qu'à nous ceux de VALOIS[3] et de BOURBON.[4] Il demande si l'Empereur[5] a jamais été marié ; mais personne ne lui apprendra que
10 Ninus[6] a eu deux femmes. On lui dit que le Roi jouit d'une santé parfaite, et il se souvient que Thetmosis,[7] un roi d'Égypte, était valétudinaire, et qu'il tenait cette complexion de son aïeul Alipharmutosis. Que ne sait-il point ? Quelle chose lui est cachée de la vénérable
15 antiquité ? Il vous dira que Sémiramis,[8] ou selon quelques-uns, Sérimaris, parlait comme son fils Ninyas,[9] qu'on ne les distinguait pas à la parole : si c'était parce que la mère avait une voix mâle comme son fils, ou le fils une voix efféminée comme sa mère, qu'il n'ose pas le
20 décider. Il vous révélera que Nembrot[10] était gaucher, et Sésostris[11] ambidextre ; que c'est une erreur de s'imaginer qu'un Artaxerxe[12] ait été appelé Longuemain parce que les bras lui tombaient jusqu'aux genoux, et non à cause qu'il avait une main plus longue que l'autre ;
25 et il ajoute qu'il y a des auteurs graves qui affirment que c'était la droite, qu'il croit néanmoins être bien fondé à soutenir que c'est la gauche.

75. Ascagne est statuaire, Hégion fondeur, Aeschine foulon, et *Cydias* bel esprit,[13] c'est sa profession. Il a
30 une enseigne, un atelier, des ouvrages de commande, et des compagnons qui travaillent sous lui. Il ne vous saurait rendre de plus d'un mois les stances qu'il vous a

promises, s'il ne manque de parole à *Dosithée*, qui l'a engagé à faire une élégie ; une idylle est sur le métier, c'est pour *Crantor*, qui le presse, et qui lui laisse espérer un riche salaire. Prose, vers, que voulez-vous? Il réussit également en l'un et en l'autre. Demandez-lui 5 des lettres de consolation, ou sur une absence, il les entreprendra; prenez-les toutes faites et entrez dans son magasin, il y a à choisir. Il a un ami qui n'a point d'autre fonction sur la terre que de le promettre longtemps à un certain monde, et de le présenter enfin dans 10 les maisons comme homme rare et d'une exquise conversation ; et là, ainsi que le musicien chante et que le joueur de luth touche son luth devant les personnes à qui il a été promis, Cydias, après avoir toussé, relevé sa manchette, étendu la main et ouvert les doigts, débite grave- 15 ment ses pensées quintessenciées et ses raisonnements sophistiqués. Différent de ceux qui, convenant de principes et connaissant la raison ou la vérité qui est une, s'arrachent la parole l'un à l'autre pour s'accorder sur leurs sentiments, il n'ouvre la bouche que pour con- 20 tredire : « *Il me semble*, dit-il gracieusement, *que c'est tout le contraire de ce que vous dites ;* » ou : «*Je ne saurais être de votre opinion ;* » ou bien : « *Ç'a été autrefois mon entêtement comme il est le vôtre ; mais. . . . Il y a trois choses*, ajoute-t-il, *à considérer* . . . ,» et il en ajoute une 25 quatrième : fade discoureur, qui n'a pas mis plus tôt le pied dans une assemblée qu'il cherche quelques femmes auprès de qui il puisse s'insinuer, se parer de son bel esprit ou de sa philosophie, et mettre en œuvre ses rares conceptions ; car, soit qu'il parle ou qu'il écrive, il ne 30 doit pas être soupçonné d'avoir en vue ni le vrai ni le faux, ni le raisonnable ni le ridicule : il évite uniquement

de donner dans le sens des autres et d'être de l'avis de quelqu'un ; aussi attend-il dans un cercle que chacun se soit expliqué sur le sujet qui s'est offert, ou souvent qu'il a amené lui-même, pour dire dogmatiquement des choses
5 toutes nouvelles, mais à son gré décisives et sans réplique. Cydias s'égale à Lucien [1] et à Sénèque, [2] se met au-dessus de Platon, [3] de Virgile et de Théocrite ; [4] et son flatteur a soin de le confirmer tous les matins dans cette opinion. Uni de goût et d'intérêt avec les contempteurs
10 d'Homère, [5] il attend paisiblement que les hommes détrompés lui préfèrent les poètes modernes : il se met en ce cas à la tête de ces derniers, et il sait à qui il adjuge la seconde place. C'est en un mot un composé du pédant et du précieux, fait pour être admiré de la bour-
15 geoisie et de la province, en qui néanmoins on n'aperçoit rien de grand que l'opinion qu'il a de lui-même.

76. C'est la profonde ignorance qui inspire le ton dogmatique. Celui qui ne sait rien croit enseigner aux autres ce qu'il vient d'apprendre lui-même. Celui qui
20 sait beaucoup pense à peine que ce qu'il dit puisse être ignoré et parle plus indifféremment.

77. Les plus grandes choses n'ont besoin que d'être dites simplement : elles se gâtent par l'emphase. Il faut dire noblement les plus petites : elles ne se soutiennent
25 que par l'expression, le ton et la manière.

78. Il me semble que l'on dit les choses encore plus finement qu'on ne peut les écrire.

80. Toute confiance est dangereuse si elle n'est entière : il y a peu de conjonctures où il ne faille tout dire
30 ou tout cacher. On a déjà trop dit de son secret à celui à qui l'on croit devoir en dérober une circonstance.

81. Des gens vous promettent le secret, et ils le

révèlent eux-mêmes et à leur insu; ils ne remuent pas les lèvres, et on les entend; on lit sur leur front et dans leurs yeux, on voit au travers de leur poitrine: ils sont transparents. D'autres ne disent pas précisément une chose qui leur a été confiée, mais ils parlent et agissent 5 de manière qu'on la découvre de soi-même. Enfin quelques-uns méprisent votre secret, de quelque conséquence qu'il puisse être: « *C'est un mystère, un tel m'en a fait part et m'a défendu de le dire;* » et ils le disent.

Toute révélation d'un secret est la faute de celui qui 10 l'a confié.

DES BIENS DE FORTUNE

2. Une grande naissance ou une grande fortune annonce le mérite, et le fait plus tôt remarquer.

5. Si l'on ne le voyait de ses yeux, pourrait-on jamais s'imaginer l'étrange disproportion que le plus ou le 15 moins de pièces de monnaie met entre les hommes?

Ce plus ou ce moins détermine à l'épée,[1] à la robe ou à l'Église; il n'y a presque point d'autre vocation.

7. Si le financier manque son coup, les courtisans disent de lui: « C'est un bourgeois, un homme de rien, 20 un malotru; » s'il réussit, ils lui demandent sa fille.

9. Un homme est laid, de petite taille, et a peu d'esprit. L'on me dit à l'oreille: « Il a cinquante mille livres de rente. » Cela le concerne tout seul, et il ne m'en fera jamais ni pis ni mieux. Si je commence à le 25 regarder avec d'autres yeux, et si je ne suis pas maître de faire autrement, quelle sottise!

10. Un projet assez vain serait de vouloir tourner un homme fort sot et fort riche en ridicule; les rieurs sont de son côté. 30

11. N**, avec un portier rustre, farouche, tirant sur

le Suisse,[1] avec un vestibule et une antichambre, pour peu qu'il y fasse languir quelqu'un et se morfondre, qu'il paraisse enfin avec une mine grave et une démarche mesurée, qu'il écoute un peu et ne reconduise point, quelque
5 subalterne qu'il soit d'ailleurs, il fera sentir de lui-même quelque chose qui approche de la considération.

15. *Sosie*[2] de la livrée a passé par une petite recette[3] à une sous-ferme;[4] et par les concussions, la violence, et l'abus qu'il a fait de ses *pouvoirs*,[5] il s'est enfin, sur les
10 ruines de plusieurs familles, élevé à quelque grade. Devenu noble par une charge, il ne lui manquait que d'être homme de bien: une place de marguillier a fait ce prodige.

16. *Arfure* cheminait seule et à pied vers le grand
15 portique de Saint **, entendait de loin le sermon d'un carme ou d'un docteur qu'elle ne voyait qu'obliquement, et dont elle perdait bien des paroles. Sa vertu était obscure, et sa dévotion connue comme sa personne. Son mari est entré dans le *huitième denier*:[6] quelle monstreuse
20 fortune en moins de six années! Elle n'arrive à l'église que dans un char; on lui porte une lourde queue; l'orateur s'interrompt pendant qu'elle se place; elle le voit de front, n'en perd pas une seule parole ni le moindre geste. Il y a une brigue entre les prêtres pour la con-
25 fesser; tous veulent l'absoudre, et le curé l'emporte.

17. L'on porte *Crésus* au cimetière; de toutes ses immenses richesses, que le vol et la concussion lui avaient acquises, et qu'il a épuisées par le luxe et par la bonne chère, il ne lui est pas demeuré de quoi se faire
30 enterrer; il est mort insolvable, sans biens, et ainsi privé de tous les secours. L'on n'a vu chez lui ni julep, ni cordiaux, ni médecins, ni le moindre docteur[7] qui l'ait assuré de son salut.

18. *Champagne*, au sortir d'un long dîner qui lui enfle l'estomac, et dans les douces fumées d'un vin d'Avenay ou de Sillery,[1] signe un ordre qu'on lui présente, qui ôterait le pain à toute une province, si l'on n'y remédiait. Il est excusable : quel moyen de comprendre, dans 5 la première heure de la digestion, qu'on puisse quelque part mourir de faim ?

19. *Sylvain*, de ses deniers, a acquis de la naissance et un autre nom ; il est seigneur de la paroisse où ses aïeuls payaient la taille[2] : il n'aurait pu autrefois entrer 10 page chez *Cléobule*, et il est son gendre.

21. On ne peut mieux user de sa fortune que fait *Périandre :* elle lui donne du rang, du crédit, de l'autorité ; déjà on ne le prie plus d'accorder son amitié ; on implore sa protection. Il a commencé par dire de soi- 15 même : *un homme de ma sorte ;* il passe à dire[3] : *un homme de ma qualité.* Il se donne pour tel ; et il n'y a personne de ceux à qui il prête de l'argent, ou qu'il reçoit à sa table, qui est délicate, qui veuille s'y opposer. Sa demeure est superbe : un dorique règne[4] dans tous ses 20 dehors ; ce n'est pas une porte, c'est un portique. Est-ce la maison d'un particulier, est-ce un temple ? le peuple s'y trompe. Il est le seigneur dominant de tout le quartier. C'est lui que l'on envie, et dont on voudrait voir la chute ; c'est lui dont la femme, par son collier de 25 perles, s'est fait des ennemies de toutes les dames du voisinage. Tout se soutient dans cet homme ; rien encore ne se dément dans cette grandeur qu'il a acquise, dont il ne doit rien, qu'il a payée. Que son père, si vieux et si caduc, n'est-il mort il y a vingt ans et avant 30 qu'il se fît dans le monde aucune mention de Périandre ! Comment pourra-t-il soutenir ces odieuses pancartes[5] qui

déchiffrent les conditions, et qui souvent font rougir la veuve et les héritiers ? Les supprimera-t-il aux yeux de toute une ville jalouse, maligne, clairvoyante, et aux dépens de mille gens qui veulent absolument aller tenir leur rang à des obsèques ? Veut-on d'ailleurs qu'il fasse de son père un *Noble homme*[1] et peut-être un *Honorable homme*, lui qui est *Messire ?*[2]

22. Combien d'hommes ressemblent à ces arbres déjà forts et avancés que l'on transplante dans les jardins, où ils surprennent les yeux de ceux qui les voient placés dans de beaux endroits où ils ne les ont point vu croître, et qui ne connaissent ni leurs commencements ni leurs progrès !

26. Ce garçon si frais, si fleuri, et d'une si belle santé, est seigneur d'une abbaye et de dix autres bénéfices[3] : tous ensemble lui rapportent six vingt mille livres de revenu, dont il n'est payé qu'en médailles d'or.[4] Il y a ailleurs six vingts familles indigentes qui ne se chauffent point pendant l'hiver, qui n'ont point d'habits pour se couvrir, et qui souvent manquent de pain ; leur pauvreté est extrême et honteuse. Quel partage ! Et cela ne prouve-t-il pas clairement un avenir ?

27. *Chrysippe*, homme nouveau, et le premier noble de sa race, aspirait, il y a trente années, à se voir un jour deux mille livres de rente pour tout bien : c'était là le comble de ses souhaits et sa plus haute ambition ; il l'a dit ainsi, et on s'en souvient. Il arrive, je ne sais par quels chemins, jusques à donner en revenu à l'une de ses filles, pour sa dot, ce qu'il désirait lui-même d'avoir en fonds pour toute fortune pendant sa vie. Une pareille somme est comptée dans ses coffres pour chacun de ses autres enfants qu'il doit pourvoir, et il a

un grand nombre d'enfants ; ce n'est qu'en avancement d'hoirie : il y a d'autres biens à espérer après sa mort. Il vit encore, quoique assez avancé en âge, et il use le reste de ses jours à travailler pour s'enrichir.

28. Laissez faire *Ergaste*, et il exigera un droit de tous ceux qui boivent de l'eau de la rivière, ou qui marchent sur la terre ferme ; il sait convertir en or jusques aux roseaux, aux joncs et à l'ortie. Il écoute tous les avis, et propose tous ceux qu'il a écoutés. Le prince ne donne aux autres qu'aux dépens d'Ergaste, et ne leur fait de grâces que celles qui lui étaient dues.[1] C'est une faim insatiable d'avoir et de posséder. Il trafiquerait des arts et des sciences, et mettrait en parti[2] jusques à l'harmonie. Il faudrait, s'il en était cru, que le peuple, pour avoir le plaisir de le voir riche, de lui voir une meute et une écurie, pût perdre le souvenir de la musique d'*Orphée* et se contenter de la sienne.

31. Le peuple souvent a le plaisir de la tragédie : il voit périr sur le théâtre du monde les personnages les plus odieux, qui ont fait le plus de mal dans diverses scènes, et qu'il a le plus haïs.

33. Cet homme qui a fait la fortune de plusieurs, qui a fait la vôtre, n'a pu soutenir la sienne, ni assurer avant sa mort celle de sa femme et de ses enfants : ils vivent cachés et malheureux. Quelque bien instruit que vous soyez de la misère de leur condition, vous ne pensez pas à l'adoucir ; vous ne le pouvez pas en effet, vous tenez table, vous bâtissez ; mais vous conservez par reconnaissance le portrait de votre bienfacteur,[3] qui a passé, à la vérité, du cabinet à l'antichambre. Quels égards ! il pouvait aller au garde-meuble.

34. Il y a une dureté de complexion ; il y a une autre

de condition et d'état. L'on tire de celle-ci, comme de la première, de quoi s'endurcir sur la misère des autres, dirai-je même de quoi ne pas plaindre les malheurs de sa famille ? Un bon financier ne pleure ni ses amis, ni sa
5 femme, ni ses enfants.

35. Fuyez, retirez-vous ; vous n'êtes pas assez loin. — Je suis, dites-vous, sous l'autre tropique. — Passez sous le pôle et dans l'autre hémisphère ; montez aux étoiles, si vous le pouvez. — M'y voilà. — Fort bien, vous
10 êtes en sûreté. Je découvre sur la terre un homme avide, insatiable, inexorable, qui veut, aux dépens de tout ce qui se trouvera sur son chemin et à sa rencontre, et quoi qu'il en puisse coûter aux autres, pourvoir à lui seul, grossir sa fortune, et regorger de bien.

15 36. Faire fortune est une si belle phrase, et qui dit une si bonne chose, qu'elle est d'un usage universel : on la reconnaît dans toutes les langues ; elle plaît aux étrangers et aux barbares ; elle règne à la cour et à la ville ; elle a percé les cloîtres et franchi les murs des abbayes
20 de l'un et de l'autre sexe : il n'y a point de lieux sacrés où elle n'ait pénétré, point de désert ni de solitude où elle soit inconnue.

37. A force de faire de nouveaux contrats, ou de sentir son argent grossir dans ses coffres, on se croit
25 enfin une bonne tête, et presque capable de gouverner.

38. Il faut une sorte d'esprit pour faire fortune, et surtout une grande fortune. Ce n'est ni le bon ni le bel esprit, ni le grand ni le sublime, ni le fort ni le délicat. Je ne sais précisément lequel c'est, et j'attends que
30 quelqu'un veuille m'en instruire.

Il faut moins d'esprit que d'habitude ou d'expérience pour faire sa fortune. L'on y songe trop tard, et quand enfin l'on s'en avise, l'on commence par des fautes que l'on n'a pas toujours le loisir de réparer: de là vient peut-être que les fortunes sont si rares. . . .

39. Quand on est jeune, souvent on est pauvre: ou l'on n'a pas encore fait d'acquisitions, ou les successions ne sont pas échues. L'on devient riche et vieux en même temps, tant il est rare que les hommes puissent réunir tous leurs avantages! et si cela arrive à quelques-uns, il n'y a pas de quoi leur porter envie: ils ont assez à perdre par la mort pour mériter d'être plaints.

40. Il faut avoir trente ans pour songer à sa fortune; elle n'est pas faite à cinquante; l'on bâtit dans sa vieillesse, et l'on meurt quand on en est aux peintres et aux vitriers.

41. Quel est le fruit d'une grande fortune, si ce n'est de jouir de la vanité, de l'industrie, du travail et de la dépense de ceux qui sont venus avant nous, et de travailler nous-mêmes, de planter, de bâtir, d'acquérir pour la postérité?

45. De tous les moyens de faire sa fortune, le plus court et le meilleur est de mettre les gens à voir clairement leurs intérêts à vous faire du bien.

47. Il y a des misères sur la terre qui saisissent le cœur.[1] Il manque à quelques-uns jusqu'aux aliments; ils redoutent l'hiver, ils appréhendent de vivre. L'on mange ailleurs des fruits précoces; l'on force la terre et les saisons pour fournir à sa délicatesse: de simples bourgeois, seulement à cause qu'ils étaient riches, ont eu l'audace d'avaler en un seul morceau la nourriture de cent familles. Tienne qui voudra contre de si grandes extrémités; je ne veux être, si je le puis, ni malheureux, ni heureux; je me jette et me réfugie dans la médiocrité.

49. Celui-là est riche, qui reçoit plus qu'il ne consume; celui-là est pauvre, dont la dépense excède la recette. . . .

50. Les passions tyrannisent l'homme, et l'ambition 5 suspend en lui les autres passions, et lui donne pour un temps les apparences de toutes les vertus. Ce *Tryphon* qui a tous les vices, je l'ai cru sobre, chaste, libéral, humble et même dévot: je le croirais encore s'il n'eût enfin fait sa fortune.

10 52. Il n'y a au monde que deux manières de s'élever, ou par sa propre industrie, ou par l'imbécillité des autres.

53. Les traits découvrent la complexion et les mœurs; mais la mine désigne les biens de fortune: le plus ou le moins de mille livres de rente se trouve écrit sur les 15 visages.

55. Quand je vois de certaines gens, qui me prévenaient autrefois par leurs civilités, attendre au contraire que je les salue, et en être avec moi sur le plus ou sur le moins,[1] je dis en moi-même: « Fort bien, j'en suis ravi, 20 tant mieux pour eux; vous verrez que cet homme-ci est mieux logé, mieux meublé et mieux nourri qu'à l'ordinaire; qu'il sera entré depuis quelques mois dans quelque affaire, où il aura déjà fait un gain raisonnable. Dieu veuille qu'il en vienne dans peu de temps jusqu'à me mé-25 priser! »

56. Si les pensées, les livres et leurs auteurs dépendaient des riches et de ceux qui ont fait une belle fortune, quelle proscription! Il n'y aurait plus de rappel.[2] Quel ton, quel ascendant ne prennent-ils pas sur les 30 savants! Quelle majesté n'observent-ils pas à l'égard de ces hommes *chétifs* que leur mérite n'a ni placés ni enrichis, et qui en sont encore à penser et à écrire ju-

dicieusement! Il faut l'avouer, le présent est pour les riches, et l'avenir pour les vertueux et les habiles. HOMÈRE est encore et sera toujours; les receveurs de droits, les publicains ne sont plus; ont-ils été? leur patrie, leurs noms sont-ils connus? y a-t-il eu dans la Grèce des partisans?[1] Que sont devenus ces importants personnages qui méprisaient Homère, qui ne songeaient dans la place qu'à l'éviter, qui ne lui rendaient pas le salut, ou qui le saluaient par son nom,[2] qui ne daignaient pas l'associer à leur table, qui le regardaient comme un homme qui n'était pas riche et qui faisait un livre? Que deviendront les *Fauconnets?*[3] iront-ils aussi loin dans la postérité que DESCARTES, né Français et *mort en Suède?*

63. Dîne bien, *Cléarque*, soupe le soir, mets du bois au feu, achète un manteau, tapisse ta chambre: tu n'aimes point ton héritier, tu ne le connais point, tu n'en as point.

64. Jeune, on conserve pour sa vieillese; vieux, on épargne pour la mort. L'héritier prodigue paye de superbes funérailles, et dévore le reste.

68. Triste condition de l'homme, et qui dégoûte de la vie! Il faut suer, veiller, fléchir, dépendre, pour avoir un peu de fortune, ou la devoir à l'agonie de nos proches. Celui qui s'empêche de souhaiter que son père y passe bientôt est homme de bien.

69. Le caractère de celui qui veut hériter de quelqu'un rentre dans celui du complaisant: nous ne sommes point mieux flattés, mieux obéis, plus suivis, plus entourés, plus cultivés, plus ménagés, plus caressés de personne pendant notre vie, que de celui qui croit gagner à notre mort, et qui désire qu'elle arrive.

74. Je ne m'étonne pas qu'il y ait des brelans[4] publics,

comme autant de pièges tendus à l'avarice des hommes, comme des gouffres où l'argent des particuliers tombe et se précipite sans retour, comme d'affreux écueils où les joueurs viennent se briser et se perdre; qu'il parte 5 de ces lieux des émissaires pour savoir à heure marquée qui a descendu à terre avec un argent frais d'une nouvelle prise,[1] qui a gagné un procès d'où on lui a compté une grosse somme, qui a reçu un don, qui a fait au jeu un gain considérable, quel fils de famille vient de re- 10 cueillir une riche succession, ou quel commis imprudent veut hasarder sur une carte les deniers de sa caisse. C'est un sale et indigne métier, il est vrai, que de tromper; mais c'est un métier qui est ancien, connu, pratiqué de tout temps par ce genre d'hommes que j'appelle des 15 brelandiers. L'enseigne est à leur porte; on y lirait presque: *Ici l'on trompe de bonne foi*; car se voudraient-ils donner pour irréprochables? Qui ne sait pas qu'entrer et perdre dans ces maisons est une même chose? Qu'ils trouvent donc sous leur main autant de dupes 20 qu'il en faut pour leur subsistance, c'est ce qui me passe.

√76. Il n'y a qu'une affliction qui dure, qui est celle qui vient de la perte de biens: le temps, qui adoucit toutes les autres, aigrit celle-ci. Nous sentons à tous moments, pendant le cours de notre vie, où le bien que nous avons 25 perdu nous manque.

78. Ni les troubles, *Zénobie*,[2] qui agitent votre empire, ni la guerre que vous soutenez virilement contre une nation puissante depuis la mort du roi votre époux, ne diminuent rien de votre magnificence. Vous avez préféré 30 à toute autre contrée les rives de l'Euphrate pour y élever un superbe édifice: l'air y est sain et tempéré, la situation en est riante; un bois sacré l'ombrage du côté du

couchant. Les dieux de Syrie, qui habitent quelquefois la terre, n'y auraient pu choisir une plus belle demeure. La campagne autour est couverte d'hommes qui taillent et qui coupent, qui vont et qui viennent, qui roulent ou qui charrient le bois du Liban,[1] l'airain et le porphyre; 5 les grues et les machines gémissent dans l'air, et font espérer à ceux qui voyagent vers l'Arabie de revoir à leur retour en leurs foyers ce palais achevé, et dans cette splendeur où vous désirez de le porter avant de l'habiter, vous et les princes vos enfants. N'y épargnez rien, grande 10 reine; employez-y l'or et tout l'art des plus excellents ouvriers; que les Phidias et les Zeuxis[2] de votre siècle déploient toute leur science sur vos plafonds et sur vos lambris; tracez-y de vastes et délicieux jardins, dont l'enchantement soit tel qu'ils ne paraissent pas faits de la 15 main des hommes; épuisez vos trésors et votre industrie sur cet ouvrage incomparable; et après que vous y aurez mis, Zénobie, la dernière main, quelqu'un de ces pâtres qui habitent les sables voisins de Palmyre, devenu riche par les péages de vos rivières, achètera un jour à deniers 20 comptants cette royale maison, pour l'embellir et la rendre plus digne de lui et de sa fortune.

81. La cause la plus immédiate de la ruine et de la déroute des personnes des deux conditions, de la robe et de l'épée, est que l'état[3] seul, et non le bien, règle la 25 dépense.

83. *Giton* a le teint frais, le visage plein et les joues pendantes, l'œil fixe et assuré, les épaules larges, l'estomac haut, la démarche ferme et délibérée. Il parle avec confiance; il fait répéter celui qui l'entretient, et il ne 30 goûte que médiocrement tout ce qu'il lui dit. Il déploie un ample mouchoir, et se mouche avec grand bruit; il

crache fort loin, et il éternue fort haut. Il dort le jour, il dort la nuit, et profondément; il ronfle en compagnie. Il occupe à table et à la promenade plus de place qu'un autre; il tient le milieu en se promenant avec ses égaux;
5 il s'arrête, et l'on s'arrête; il continue de marcher, et l'on marche: tous se règlent sur lui. Il interrompt, il redresse ceux qui ont la parole; on ne l'interrompt pas, on l'écoute aussi longtemps qu'il veut parler; on est de son avis, on croit les nouvelles qu'il débite. S'il s'assied,
10 vous le voyez s'enfoncer dans un fauteuil, croiser les jambes l'une sur l'autre, froncer le sourcil, abaisser son chapeau sur ses yeux pour ne voir personne, ou le relever ensuite, et découvrir son front par fierté et par audace. Il est enjoué, grand rieur, impatient, présomptueux,
15 colère, libertin,[1] politique, mystérieux sur les affaires du temps; il se croit des talents et de l'esprit. Il est riche. . . .

DE LA VILLE

1. L'on se donne à Paris, sans se parler, comme un rendez-vous public, mais fort exact, tous les soirs au Cours[2] ou aux Tuileries,[3] pour se regarder au visage et
20 se désapprouver les uns les autres.

L'on ne peut se passer de ce même monde que l'on n'aime point, et dont l'on se moque.

L'on s'attend au passage réciproquement dans une promenade publique;[4] l'on y passe en revue l'un
25 devant l'autre: carrosse, chevaux, livrées, armoiries, rien n'échappe aux yeux, tout est curieusement ou malignement observé; et selon le plus ou le moins de l'équipage,[5] ou l'on respecte les personnes, ou on les dédaigne.

6. Vous moquez-vous de rêver en carrosse ou peut-être
30 de vous y reposer? *Vite*, prenez votre livre ou vos papiers;

lisez; ne saluez qu'à peine ces gens qui passent dans leur équipage; ils vous en croiront plus occupé; ils diront: «Cet homme est laborieux, infatigable; il lit, il travaille jusque dans les rues ou sur la route.» Apprenez du moindre avocat qu'il faut paraître accablé d'affaires, 5 froncer le sourcil, et rêver à rien très profondément; savoir à propos perdre le boire et le manger; ne faire qu'apparoir[1] dans sa maison, s'évanouir et se perdre comme un fantôme dans le sombre de son cabinet; se cacher au public, éviter le théâtre, le laisser à ceux qui 10 ne courent aucun risque à s'y montrer, qui en ont à peine le loisir, aux GOMONS,[2] aux DUHAMELS.[3]

8. Un homme de robe à la ville, et le même à la cour, ce sont deux hommes. Revenu chez soi, il reprend ses mœurs, sa taille et son visage, qu'il y avait laissés: il 15 n'est plus ni si embarrassé, ni si honnête.[4]

12. *Narcisse* se lève le matin pour se coucher le soir; il a ses heures de toilette comme une femme; il va tous les jours fort régulièrement à la belle messe aux Feuillants[5] ou aux Minimes; il est homme d'un bon commerce, et 20 l'on compte sur lui au quartier de * * * pour un tiers ou pour un cinquième à l'hombre ou au reversi.[6] Là il tient le fauteuil quatre heures de suite chez *Aricie*, où il risque chaque soir cinq pistoles d'or.[7] Il lit exactement la *Gazette de Hollande*[8] et le *Mercure galant*;[9] il a lu Bergerac,[10] 25 Des Marets,[11] Lesclache,[12] les Historiettes de Barbin,[13] et quelques recueils de poésies. Il se promène avec des femmes à la Plaine[14] ou au Cours, et il est d'une ponctualité religieuse sur les visites. Il fera demain ce qu'il fait aujourd'hui et ce qu'il fit hier, et il meurt ainsi après 30 avoir vécu.

14. *Théramène* était riche et avait du mérite; il a héri-

té, il est donc très riche et d'un très grand mérite. Voilà toutes les femmes en campagne pour l'avoir pour galant, et toutes les filles pour *épouseur*. Il va de maisons en maisons faire espérer aux mères qu'il épousera. Est-il 5 assis, elles se retirent pour laisser à leurs filles toute la liberté d'être aimables, et à Théramène de faire ses déclarations. Il tient ici contre le mortier;[1] là il efface le cavalier[2] ou le gentilhomme. Un jeune homme fleuri,[3] vif, enjoué, spirituel n'est pas souhaité plus ardemment 10 ni mieux reçu; on se l'arrache des mains, on a à peine le loisir de sourire à qui se trouve avec lui dans une même visite. Combien de galants va-t-il mettre en déroute! quels bons partis ne fera-t-il pas manquer! Pourra-t-il suffire à tant d'héritières qui le recherchent? Ce n'est 15 pas seulement la terreur des maris, c'est l'épouvantail de tous ceux qui ont envie de l'être, et qui attendent d'un mariage à remplir le vide de leur consignation.[4] On devrait proscrire de tels personnages si heureux, si pécunieux,[5] d'une ville bien policée, ou condamner le sexe, 20 sous peine de folie ou d'indignité, à ne les traiter pas mieux que s'ils n'avaient que du mérite.

22. Les empereurs n'ont jamais triomphé à Rome si mollement, si commodément, ni si sûrement même, contre le vent, la pluie, la poudre et le soleil, que le bourgeois 25 sait à Paris se faire mener par toute la ville: quelle distance de cet usage à la mule de leurs ancêtres! Ils ne savaient point encore se priver du nécessaire pour avoir le superflu, ni préférer le faste aux choses utiles. On ne les voyait point s'éclairer avec des bougies[6] et se chauffer 30 à un petit feu; la cire était pour l'autel et pour le Louvre.[7] Ils ne sortaient point d'un mauvais dîner pour monter dans leur carrosse; ils se persuadaient que l'homme avait

des jambes pour marcher, et ils marchaient. Ils se conservaient propres quand il faisait sec, et dans un temps humide ils gâtaient leur chaussure, aussi peu embarrassés de franchir les rues et les carrefours que le chasseur de traverser un guéret, ou le soldat de se mouiller dans une 5 tranchée. On n'avait pas encore imaginé d'atteler deux hommes à une litière;[1] il y avait même plusieurs magistrats qui allaient à pied à la chambre ou aux enquêtes,[2] d'aussi bonne grâce qu'Auguste autrefois allait de son pied[3] au Capitole. L'étain, dans ce temps, brillait sur 10 les tables et sur les buffets, comme le fer et le cuivre dans les foyers; l'argent et l'or étaient dans les coffres. Les femmes se faisaient servir par des femmes; on mettait celles-ci jusqu'à la cuisine. Les beaux noms de gouverneurs et de gouvernantes n'étaient pas inconnus 15 à nos pères: ils savaient à qui l'on confiait les enfants des rois et des plus grands princes; mais ils partageaient[4] le service de leurs domestiques avec leurs enfants, contents de veiller eux-mêmes immédiatement à leur éducation. Ils comptaient en toutes choses avec eux-mêmes: leur 20 dépense était proportionnée à leur recette; leurs livrées, leurs équipages, leurs meubles, leur table, leurs maisons de la ville et de la campagne, tout était mesuré sur leurs rentes et sur leur condition. Il y avait entre eux des distinctions extérieures qui empêchaient qu'on ne prît la 25 femme du praticien pour celle du magistrat, et le roturier ou le simple valet pour le gentilhomme. Moins appliqués à dissiper ou à grossir leur patrimoine qu'à le maintenir, ils le laissaient entier à leurs héritiers, et passaient ainsi d'une vie modérée à une mort tranquille. Ils ne disaient 30 point: *Le siècle est dur, la misère est grande, l'argent est rare;* ils en avaient moins que nous, et en avaient assez, plus

riches par leur économie et par leur modestie[1] que de leurs revenus et de leurs domaines. Enfin l'on était alors pénétré de cette maxime, que ce qui est dans les grands splendeur, somptuosité, magnificence, est dissipa-
5 tion, folie, ineptie dans le particulier.

DE LA COUR

10. La cour est comme un édifice bâti de marbre: je veux dire qu'elle est composée d'hommes fort durs, mais fort polis.

14. L'air de cour est contagieux: il se prend à V[2]* * *,
10 comme l'accent normand à Rouen ou à Falaise;[3] on l'entrevoit en des fourriers,[4] en de petits contrôleurs,[5] et en des chefs de fruiterie;[6] l'on peut, avec une portée d'esprit fort médiocre, y faire de grands progrès. Un homme d'un génie élevé et d'un mérite solide ne fait pas assez
15 de cas de cette espèce de talent pour faire son capital de l'étudier et se le rendre propre; il l'acquiert sans réflexion, et il ne pense point à s'en défaire.

17. Vous voyez des gens qui entrent sans saluer que légèrement, qui marchent des épaules, et qui se rengorgent
20 comme une femme: ils vous interrogent sans vous regarder; ils parlent d'un ton élevé, et qui marque qu'ils se sentent au-dessus de ceux qui se trouvent présents; ils s'arrêtent, et on les entoure; ils ont la parole, président au cercle,[7] et persistent dans cette hauteur ridicule et
25 contrefaite, jusqu'à ce qu'il survienne un grand, qui, la faisant tomber tout d'un coup par sa présence, les réduise à leur naturel, qui est moins mauvais.

19. Ne croirait-on pas de *Cimon* et de *Clitandre* qu'ils sont seuls chargés des détails de tout l'État, et que seuls
30 aussi ils en doivent répondre? L'un a du moins les affaires

de terre, et l'autre les maritimes. Qui pourrait les représenter exprimerait l'empressement, l'inquiétude, la curiosité, l'activité, saurait peindre le mouvement. On ne les a jamais vus assis, jamais fixes et arrêtés: qui même les a vu[1] marcher? On les voit courir, parler en courant, et vous interroger sans attendre de réponse. Ils ne viennent d'aucun endroit, ils ne vont nulle part: ils passent et ils repassent. Ne les retardez pas dans leur course précipitée, vous démonteriez leur machine; ne leur faites pas de questions, ou donnez-leur du moins le temps de respirer et de se ressouvenir qu'ils n'ont nulle affaire, qu'ils peuvent demeurer avec vous et longtemps, vous suivre même où il vous plaira de les emmener. Ils ne sont pas les *Satellites de Jupiter*, je veux dire ceux qui pressent et qui entourent le prince; mais ils l'annoncent et le précèdent; ils se lancent impétueusement dans la foule des courtisans; tout ce qui se trouve sur leur passage est en péril. Leur profession est d'être vus et revus, et ils ne se couchent jamais sans s'être acquittés d'un emploi si sérieux, et si utile à la république[2]. Ils sont, au reste, instruits à fond de toutes les nouvelles indifférentes, et ils savent à la cour tout ce que l'on peut y ignorer; il ne leur manque aucun des talents nécessaires pour s'avancer médiocrement. Gens néanmoins éveillés et alertes sur tout ce qu'ils croient leur convenir, un peu entreprenants, légers et précipités. Le dirai-je? ils portent au vent,[3] attelés tous deux au char de la Fortune, et tous deux fort éloignés de s'y voir assis.

25. C'est beaucoup tirer de notre ami, si ayant monté à une grande faveur, il est encore un homme de notre connaissance.

30. Combien de gens vous étouffent de caresses dans le

particulier, vous aiment et vous estiment, qui sont embarrassés de vous dans le public, et qui, au lever ou à la messe, évitent vos yeux et votre rencontre! Il n'y a qu'un petit nombre de courtisans qui, par grandeur ou par une
5 confiance qu'ils ont d'eux-mêmes, osent honorer devant le monde le mérite qui est seul et dénué de grands établissements.

31. Je vois un homme entouré et suivi; mais il est en place. J'en vois un autre que tout le monde aborde;
10 mais il est en faveur. Celui-ci est embrassé et caressé, même des grands; mais il est riche. Celui-là est regardé de tous avec curiosité, on le montre au doigt; mais il est savant et éloquent. J'en découvre un que personne n'oublie de saluer; mais il est méchant. Je veux un
15 homme qui soit bon, qui ne soit rien davantage, et qui soit recherché.

32. Vient-on de placer quelqu'un dans un nouveau poste, c'est un débordement de louanges en sa faveur qui inonde les cours et la chapelle, qui gagne l'escalier, les
20 salles, la galerie, tout l'appartement:[1] on en a au-dessus des yeux, on n'y tient pas. Il n'y a pas deux voix différentes sur ce personnage; l'envie, la jalousie parlent comme l'adulation; tous se laissent entraîner au torrent qui les emporte, qui les force de dire d'un homme ce
25 qu'ils en pensent ou ce qu'ils n'en pensent pas, comme de louer souvent celui qu'ils ne connaissent point. L'homme d'esprit, de mérite ou de valeur devient en un instant un génie du premier ordre, un héros, un demi-dieu. Il est si prodigieusement flatté dans toutes les peintures que
30 l'on fait de lui qu'il paraît difforme près de ses portraits; il lui est impossible d'arriver jamais jusqu'où la bassesse et la complaisance viennent de le porter: il rougit de sa

propre réputation. Commence-t-il à chanceler[1] dans ce poste où on l'avait mis, tout le monde passe facilement à un autre avis; en est-il entièrement déchu, les machines qui l'avaient guindé si haut par l'applaudissement et les éloges sont encore toutes dressées pour le faire tomber dans le dernier mépris. Je veux dire qu'il n'y en a point qui le dédaignent mieux, qui le blâment plus aigrement, et qui en disent plus de mal, que ceux qui s'étaient comme dévoués à la fureur d'en dire du bien.

33. Je crois pouvoir dire d'un poste éminent et délicat qu'on y monte plus aisément qu'on ne s'y conserve.

36. L'on dit à la cour du bien de quelqu'un pour deux raisons: la première, afin qu'il apprenne que nous disons du bien de lui; la seconde, afin qu'il en dise de nous.

39. L'on me dit tant de mal de cet homme, et j'y[2] en vois si peu, que je commence à soupçonner qu'il n'ait[3] un mérite importun, qui éteigne celui des autres.

40. Vous êtes homme de bien, vous ne songez ni à plaire, ni à déplaire aux favoris, uniquement attaché à votre maître et à votre devoir: vous êtes perdu.

41. On n'est point effronté par choix, mais par complexion; c'est un vice de l'être, mais naturel. Celui qui n'est pas né tel est modeste, et ne passe pas aisément de cette extrémité à l'autre. C'est une leçon assez inutile que de lui dire: «Soyez effronté, et vous réussirez.» Une mauvaise imitation ne lui profiterait pas, et le ferait échouer. Il ne faut rien de moins dans les cours qu'une vraie et naïve impudence pour réussir.

55. Jeunesse du prince, source des belles fortunes.

57. Que d'amis, que de parents naissent en une nuit au nouveau ministre! Les uns font valoir leurs anciennes liaisons, leur société d'études, les droits du voisinage;

les autres feuillettent leur généalogie, remontent jusqu'à un trisaïeul, rappellent le côté paternel et le maternel: l'on veut tenir à cet homme par quelque endroit, et l'on dit plusieurs fois le jour que l'on y tient; on l'imprimerait volontiers: *C'est mon ami, et je suis fort aise de son élévation; j'y dois prendre part, il m'est assez proche.* Hommes vains et dévoués à la fortune, fades courtisans, parliez-vous ainsi il y a huit jours? Est-il devenu, depuis ce temps, plus homme de bien, plus digne du choix que le prince en vient de faire? Attendiez-vous cette circonstance pour le mieux connaître?

63. Il y a un pays où les joies sont visibles, mais fausses, et les chagrins cachés, mais réels. Qui croirait que l'empressement pour les spectacles, que les éclats et les applaudissements aux théâtres de Molière et d'Arlequin,[1] les repas, la chasse, les ballets, les carrousels, couvrissent tant d'inquiétudes, de soins et de divers intérêts, tant de craintes et d'espérances, des passions si vives et des affaires si sérieuses?

64. La vie de la cour est un jeu sérieux, mélancolique, qui applique. Il faut arranger ses pièces et ses batteries, avoir un dessein, le suivre, parer celui de son adversaire, hasarder quelquefois, et jouer de caprice; et après toutes ses rêveries et toutes ses mesures, on est échec, quelquefois mat. Souvent, avec des pions qu'on ménage bien, on va à dame, et l'on gagne la partie: le plus habile l'emporte, ou le plus heureux.

65. Les roues, les ressorts, les mouvements sont cachés; rien ne paraît d'une montre que son aiguille, qui insensiblement s'avance et achève son tour: image du courtisan, d'autant plus parfaite, qu'après avoir fait assez de chemin, il revient souvent au même point d'où il est parti.

70. L'esclave n'a qu'un maître; l'ambitieux en a autant qu'il y a de gens utiles à sa fortune.

72. De tous ceux qui s'empressent auprès des grands et qui leur font la cour, un petit nombre les honore dans le cœur, un grand nombre les recherche par des vues 5 d'ambition et d'intérêt, un plus grand nombre par une ridicule vanité, ou par une sotte impatience de se faire voir.

74. L'on parle d'une région où les vieillards sont galants, polis et civils; les jeunes gens, au contraire, durs, 10 féroces, sans mœurs ni politesse: ils se trouvent affranchis de la passion des femmes dans un âge où l'on commence ailleurs à la sentir; ils leur préfèrent des repas, des viandes et des amours ridicules. Celui-là, chez eux, est sobre et modéré, qui ne s'enivre que de vin: l'usage 15 trop fréquent qu'ils en ont fait le leur a rendu insipide. Ils cherchent à réveiller leur goût déjà éteint par des eaux-de-vie et par toutes les liqueurs les plus violentes; il ne manque à leur débauche que de boire de l'eau-forte. Les femmes du pays précipitent le déclin de leur beauté 20 par des artifices qu'elles croient servir à les rendre belles: leur coutume est de peindre leurs lèvres, leurs joues, leurs sourcils et leurs épaules, qu'elles étalent avec leur gorge, leurs bras et leurs oreilles, comme si elles craignaient de cacher l'endroit par où elles pourraient plaire, 25 ou de ne pas se montrer assez. Ceux qui habitent cette contrée ont une physionomie qui n'est pas nette, mais confuse, embarrassée dans une épaisseur[1] de cheveux étrangers qu'ils préfèrent aux naturels, et dont ils font un long tissu pour couvrir leur tête: il descend à la 30 moitié du corps, change les traits et empêche qu'on ne connaisse les hommes à leur visage. Ces peuples d'ail-

leurs ont leur dieu et leur roi. Les grands de la nation s'assemblent tous les jours, à une certaine heure, dans un temple qu'ils nomment église. Il y a au fond de ce temple un autel consacré à leur dieu, où un prêtre cé-
5 lèbre des mystères qu'ils appellent saints, sacrés et redoutables. Les grands forment un vaste cercle au pied de cet autel, et paraissent debout, le dos tourné directement au prêtre et aux saints mystères, et les faces élevées vers leur roi, que l'on voit à genoux sur une tribune,
10 et à qui ils semblent avoir tout l'esprit et tout le cœur appliqué. On ne laisse pas de voir dans cet usage une espèce de subordination, car ce peuple paraît adorer le prince, et le prince adorer Dieu. Les gens du pays le nomment * * *; il est à quelques quarante-huit degrés
15 d'élévation du pôle, et à plus d'onze cents lieues de mer des Iroquois et des Hurons.

80. «Diseurs de bons mots,[1] mauvais caractère»: je le dirais, s'il n'avait été dit. Ceux qui nuisent à la réputation ou à la fortune des autres, plutôt que de perdre
20 un bon mot, méritent une peine infamante. Cela n'a pas été dit, et je l'ose dire.[2]

81. Il y a un certain nombre de phrases toutes faites que l'on prend comme dans un magasin, et dont l'on se sert pour se féliciter les uns les autres sur les événe-
25 ments. Bien qu'elles se disent souvent sans affection, et qu'elles soient reçues sans reconnaissance, il n'est pas permis avec cela de les omettre, parce que du moins elles sont l'image de ce qu'il y a au monde de meilleur, qui est l'amitié, et que les hommes, ne pouvant guère
30 compter les uns sur les autres pour la réalité, semblent être convenus entre eux de se contenter des apparences.

82. Avec cinq ou six termes de l'art, et rien de plus,

l'on se donne pour connaisseur en musique, en tableaux, en bâtiments et en bonne chère: l'on croit avoir plus de plaisir qu'un autre à entendre, à voir et à manger; l'on impose à ses semblables et l'on se trompe soi-même.

83. La cour n'est jamais dénuée d'un certain nombre 5 de gens en qui l'usage du monde, la politesse ou la fortune tiennent lieu d'esprit et suppléent au mérite. Ils savent entrer et sortir; ils se tirent de la conversation en ne s'y mêlant point; ils plaisent à force de se taire et se rendent importants par un silence longtemps sou- 10 tenu, ou tout au plus par quelques monosyllables; ils payent de mines, d'une inflexion de voix, d'un geste et d'un sourire; ils n'ont pas, si je l'ose dire, deux pouces de profondeur: si vous les enfoncez vous rencontrez le tuf.

89. Il y a quelques rencontres dans la vie où la vérité 15 et la simplicité sont le meilleur manège du monde.

90. Êtes-vous en faveur, tout manège est bon, vous ne faites point de fautes, tous les chemins vous mènent au terme; autrement, tout est faute, rien n'est utile, il n'y a point de sentier qui ne vous égare. 20

94. Qu'un favori s'observe de fort près; car s'il me fait moins attendre dans son antichambre qu'à l'ordinaire, s'il a le visage plus ouvert, s'il fronce moins le sourcil, s'il m'écoute plus volontiers, et s'il me reconduit un peu plus loin, je penserai qu'il commence à tomber, 25 et je penserai vrai.

L'homme a bien peu de ressources dans soi-même, puisqu'il lui faut une disgrâce ou une mortification pour le rendre plus humain, plus traitable, moins féroce, plus honnête homme. 30

96. *Straton*[1] est né sous deux étoiles: malheureux, heureux dans le même degré. Sa vie est un roman;

non, il lui manque le vraisemblable. Il n'a point eu d'aventures ; il a eu de beaux songes, il en a eu de mauvais. Que dis-je ? on ne rêve point comme il a vécu. Personne n'a tiré d'une destinée plus qu'il a fait ; l'extrême et le médiocre lui sont connus : il a brillé, il a souffert, il a mené une vie commune : rien ne lui est échappé. Il s'est fait valoir par des vertus qu'il assurait fort sérieusement qui étaient en lui ; il a dit de soi : *J'ai de l'esprit, j'ai du courage;* et tous ont dit après lui : *Il a de l'esprit, il a du courage.* Il a exercé dans l'une et l'autre fortune le génie du courtisan, qui a dit de lui plus de bien peut-être et plus de mal qu'il n'y en avait. Le joli, l'aimable, le rare, le merveilleux, l'héroïque ont été employés à son éloge ; et tout le contraire a servi depuis pour le ravaler : caractère équivoque, mêlé, enveloppé ; une énigme, une question presque indécise.

99. Dans cent ans, le monde subsistera encore en son entier : ce sera le même théâtre et les mêmes décorations, ce ne seront plus les mêmes acteurs. Tout ce qui se réjouit sur une grâce reçue, ou ce qui s'attriste et se désespère sur un refus, tous auront disparu de dessus la scène. Il s'avance déjà sur le théâtre d'autres hommes qui vont jouer dans une même pièce les mêmes rôles ; ils s'évanouiront à leur tour ; et ceux qui ne sont pas encore, un jour ne seront plus ; de nouveaux acteurs ont pris leur place. Quel fond à faire sur un personnage de comédie !

DES GRANDS

1. La prévention[1] du peuple en faveur des grands est si aveugle, et l'entêtement pour leur geste, leur visage,

leur ton de voix et leurs manières si général que, s'ils s'avisaient d'être bons, cela irait à l'idolâtrie.

3. L'avantage des grands sur les autres hommes est immense par un endroit. Je leur cède leur bonne chère, leurs riches ameublements, leurs chiens, leurs chevaux, 5 leurs singes, leurs nains, leurs fous[1] et leurs flatteurs; mais je leur envie le bonheur d'avoir à leur service des gens qui les égalent par le cœur et par l'esprit, et qui les passent quelquefois.

4. Les grands se piquent d'ouvrir une allée dans une 10 forêt, de soutenir des terres par de longues murailles, de dorer des plafonds, de faire venir dix pouces d'eau, de meubler une orangerie; mais de rendre un cœur content, de combler une âme de joie, de prévenir d'extrêmes besoins ou d'y remédier, leur curiosité ne s'étend point 15 jusque-là.

5. On demande si, en comparant ensemble les différentes conditions des hommes, leurs peines, leurs avantages, on n'y remarquerait pas un mélange ou une espèce de compensation de bien et de mal qui établirait entre 20 elles l'égalité,[2] ou qui ferait du moins que l'un ne serait guère plus désirable que l'autre. Celui qui est puissant, riche, et à qui il ne manque rien, peut former cette question; mais il faut que ce soit un homme pauvre qui la décide. 25

Il ne laisse pas d'y avoir comme un charme attaché à chacune des différentes conditions et qui y demeure jusques à ce que la misère l'en ait ôté. Ainsi les grands se plaisent dans l'excès et les petits aiment la modération; ceux-là ont le goût de dominer et de commander, et 30 ceux-ci sentent du plaisir et même de la vanité à les servir et à leur obéir; les grands sont entourés, salués, respectés; les petits entourent, saluent, se prosternent; et tous sont contents.

12. Les grands dédaignent les gens d'esprit qui n'ont que de l'esprit; les gens d'esprit méprisent les grands qui
5 n'ont que de la grandeur. Les gens de bien plaignent les uns et les autres, qui ont ou de la grandeur ou de l'esprit, sans nulle vertu.

16. Une froideur ou une incivilité qui vient de ceux qui sont au-dessus de nous nous les fait haïr; mais un
10 salut ou un sourire nous les réconcilie.

23. C'est déjà trop d'avoir avec le peuple une même religion et un même Dieu: quel moyen encore de s'appeler *Pierre*, *Jean*, *Jacques*, comme le marchand ou le laboureur? Évitons d'avoir rien de commun avec la
15 multitude; affectons au contraire toutes les distinctions qui nous en séparent. Qu'elle s'approprie les douze apôtres, leurs disciples, les premiers martyrs (telles gens, tels patrons); qu'elle voie avec plaisir revenir toutes les années ce jour particulier que chacun célèbre comme sa
20 fête. Pour nous autres grands, ayons recours aux noms profanes; faisons-nous baptiser sous ceux d'*Annibal*, de *César* et de *Pompée*, c'étaient de grands hommes; sous celui de *Lucrèce*, c'était une illustre Romaine; sous ceux de *Renaud*, de *Roger*, d'*Olivier* et de *Tancrède*,[1] c'étaient
25 des paladins, et le roman n'a point de héros plus merveilleux; sous ceux d'*Hector*, d'*Achille*, d'*Hercule*, tous demi-deux; sous ceux même de *Phébus* et de *Diane*. Et qui nous empêchera de nous faire nommer *Jupiter*, ou *Mercure*, ou *Vénus*, ou *Adonis*?

30 25. Si je compare ensemble les deux conditions des hommes les plus opposées, je veux dire les grands avec le peuple, ce dernier me paraît content du nécessaire, et

les autres sont inquiets et pauvres avec le superflu. Un homme du peuple ne saurait faire aucun mal; un grand ne veut faire aucun bien et est capable de grands maux. L'un ne se forme et ne s'exerce que dans les choses qui sont utiles; l'autre y joint les pernicieuses. Là se montrent ingénument la grossièreté et la franchise; ici se cache une sève maligne et corrompue sous l'écorce de la politesse. Le peuple n'a guère d'esprit, et les grands n'ont point d'âme: celui-là a un bon fond et n'a point de dehors; ceux-ci n'ont que des dehors et qu'une simple superficie. Faut-il opter? Je ne balance pas: je veux être peuple.

28. Un grand aime la Champagne,[1] abhorre la Brie; il s'enivre de meilleur vin que l'homme du peuple: seule différence que la crapule laisse entre les conditions les plus disproportionnées, entre le seigneur et l'estafier.

29. Il semble d'abord qu'il entre dans les plaisirs des princes un peu de celui d'incommoder les autres. Mais non, les princes ressemblent aux hommes; ils songent à eux-mêmes, suivent leur goût, leurs passions, leur commodité: cela est naturel.

41. S'il est vrai qu'un grand donne plus à la fortune lorsqu'il hasarde une vie destinée à couler dans les ris, le plaisir et l'abondance, qu'un particulier qui ne risque que des jours qui sont misérables, il faut avouer aussi qu'il a un tout autre dédommagement, qui est la gloire et la haute réputation. Le soldat ne sent pas qu'il soit connu; il meurt obscur et dans la foule: il vivait de même, à la vérité, mais il vivait; et c'est l'une des sources du défaut de courage dans les conditions basses et serviles. Ceux, au contraire, que la naissance démêle d'avec le peuple, et expose aux yeux des hommes, à leur

censure et à leurs éloges, sont même capables de sortir par effort de leur tempérament, s'il ne les portait pas à la vertu; et cette disposition de cœur et d'esprit, qui passe des aïeuls par les pères dans leurs descendants, est 5 cette bravoure si familière aux personnes nobles, et peut-être la noblesse même.

Jetez-moi dans les troupes comme un simple soldat, je suis Thersite;[1] mettez-moi à la tête d'une armée dont j'aie à répondre à toute l'Europe, je suis ACHILLE.

10 42. Les princes, sans autre science ni autre règle, ont un goût de comparaison: ils sont nés et élevés au milieu et comme dans le centre des meilleures choses, à quoi ils rapportent ce qu'ils lisent, ce qu'ils voient et ce qu'ils entendent. Tout ce qui s'éloigne trop de LULLI, de 15 RACINE et de LE BRUN,[2] est condamné.

44. C'est une pure hypocrisie à un homme d'une certaine élévation de ne pas prendre d'abord le rang qui lui est dû, et que tout le monde lui cède. Il ne lui coûte rien d'être modeste, de se mêler dans la multitude qui va 20 s'ouvrir pour lui, de prendre dans une assemblée une dernière place, afin que tous l'y voient et s'empressent de l'en ôter. La modestie est d'une pratique plus amère aux hommes d'une condition ordinaire: s'ils se jettent dans la foule, on les écrase; s'ils choisissent un poste in-25 commode, il leur demeure.

46. Les meilleures actions s'altèrent et s'affaiblissent par la manière dont on les fait, et laissent même douter des intentions. Celui qui protège ou qui loue la vertu pour la vertu, qui corrige ou qui blâme le vice à cause 30 du vice, agit simplement, naturellement, sans aucun tour, sans nulle singularité, sans faste, sans affectation; il n'use point de réponses graves et sentencieuses, encore

moins de traits piquants et satiriques : ce n'est jamais une scène qu'il joue pour le public, c'est un bon exemple qu'il donne, et un devoir dont il s'acquitte ; il ne fournit rien aux visites des femmes, ni au cabinet,[1] ni aux nouvellistes ; il ne donne point à un homme agréable la matière d'un joli conte. Le bien qu'il vient de faire est un peu moins su, à la vérité ; mais il a fait ce bien : que voudrait-il davantage ?

47. Les grands ne doivent point aimer les premiers temps : ils ne leur sont point favorables ; il est triste pour eux d'y voir que nous sortions tous du frère et de la sœur. Les hommes composent ensemble une même famille : il n'y a que le plus ou le moins dans le degré de parenté.

53. A la cour, à la ville, mêmes passions, mêmes faiblesses, mêmes petitesses, mêmes travers d'esprit, mêmes brouilleries dans les familles et entre les proches, mêmes envies, mêmes antipathies. Partout des brus et des belles-mères, des maris et des femmes, des divorces, des ruptures, et de mauvais raccommodements ; partout des humeurs, des colères, des partialités, des rapports, et ce qu'on appelle de mauvais discours. Avec de bons yeux on voit sans peine la petite ville, la rue Saint-Denis, comme transportées à V*** ou à F***.[2] Ici l'on croit se haïr avec plus de fierté et de hauteur, et peut-être avec plus de dignité : on se nuit réciproquement avec plus d'habileté et de finesse ; les colères sont plus éloquentes, et l'on se dit des injures plus poliment et en meilleurs termes ; l'on n'y blesse point la pureté de la langue ; l'on n'y offense que les hommes ou que leur réputation : tous les dehors du vice y sont spécieux, mais le fond, encore une fois, y est le même que dans les con-

ditions les plus ravalées; tout le bas, tout le faible et tout l'indigne s'y trouvent. Ces hommes si grands ou par leur naissance, ou par leur faveur, ou par leurs dignités, ces têtes si fortes et si habiles, ces femmes si 5 polies et si spirituelles, tous méprisent le peuple, et ils sont peuple.

Qui dit le peuple dit plus d'une chose: c'est une vaste expression, et l'on s'étonnerait de voir ce qu'elle embrasse, et jusques où elle s'étend. Il y a le peuple qui 10 est opposé aux grands: c'est la populace et la multitude; il y a le peuple qui est opposé aux sages, aux habiles et aux vertueux: ce sont les grands comme les petits.

DU SOUVERAIN OU DE LA RÉPUBLIQUE

1. Quand l'on parcourt, sans la prévention de son pays, toutes les formes de gouvernement, l'on ne sait à laquelle 15 se tenir: il y a dans toutes le moins bon et le moins mauvais. Ce qu'il y a de plus raisonnable[1] et de plus sûr, c'est d'estimer celle où l'on est né la meilleure de toutes, et de s'y soumettre.

5. Quand on veut changer et innover dans une répub- 20 lique, c'est moins les choses que le temps que l'on considère. Il y a des conjonctures où l'on sent bien qu'on ne saurait trop attenter contre le peuple; et il y en a d'autres où il est clair qu'on ne peut trop le ménager. Vous pouvez aujourd'hui ôter à cette ville ses franchises, 25 ses droits, ses privilèges; mais demain ne songez pas même à réformer ses enseignes.[2]

9. La guerre a pour elle l'antiquité; elle a été dans tous les siècles: on l'a toujours vue remplir le monde de veuves et d'orphelins, épuiser les familles d'héritiers, et 30 faire périr les frères à une même bataille. Jeune Soye-

COUR,[1] je regrette ta vertu, ta pudeur, ton esprit déjà mûr, pénétrant, élevé, sociable; je plains cette mort prématurée qui te joint à ton intrépide frère, et t'enlève à une cour où tu n'as fait que te montrer: malheur déplorable, mais ordinaire! De tout temps les hommes, pour quelque morceau de terre de plus ou de moins, sont convenus entre eux de se dépouiller, se brûler, se tuer, s'égorger les uns les autres; et, pour le faire plus ingénieusement et avec plus de sureté, ils ont inventé de belles règles qu'on appelle l'art militaire; ils ont attaché à la pratique de ces règles la gloire ou la plus solide réputation; et ils ont depuis enchéri de siècle en siècle sur la manière de se détruire réciproquement. De l'injustice des premiers hommes, comme de son unique source, est venue la guerre, ainsi que la nécessité où ils se sont trouvés de se donner des maîtres qui fixassent leurs droits et leurs prétentions. Si, content du sien, on eût pu s'abstenir du bien de ses voisins, on avait pour toujours la paix et la liberté.

10. Le peuple, paisible dans ses foyers, au milieu des siens, et dans le sein d'une grande ville où il n'a rien à craindre ni pour ses biens ni pour sa vie, respire le feu et le sang, s'occupe de guerres, de ruines, d'embrasements et de massacres, souffre impatiemment que des armées qui tiennent la campagne ne viennent point à se rencontrer, ou si elles sont une fois en présence, qu'elles ne combattent point, ou si elles se mêlent, que le combat ne soit pas sanglant et qu'il y ait moins de dix mille hommes sur la place. Il va même souvent jusques à oublier ses intérêts les plus chers, le repos et la sureté, par l'amour qu'il a pour le changement, et par le goût de la nouveauté ou des choses extraordinaires. Quel-

ques uns consentiraient à voir une autre fois les ennemis aux portes de Dijon[1] ou de Corbie,[2] à voir tendre des chaînes et faire des barricades, pour le seul plaisir d'en dire ou d'en apprendre la nouvelle.

5 13. Le caractère des Français demande du sérieux dans le souverain.

14. L'un des malheurs du prince est d'être souvent trop plein de son secret, par le péril qu'il y a à le répandre: son bonheur est de rencontrer une personne sûre 10 qui l'en décharge.

15. Il ne manque rien à un roi que les douceurs d'une vie privée; il ne peut être consolé d'une si grande perte que par le charme de l'amitié, et par la fidélité de ses amis.

15 16. Le plaisir d'un roi qui mérite de l'être est de l'être moins quelquefois, de sortir du théâtre, de quitter le bas de saye[3] et les brodequins,[4] et de jouer avec une personne de confiance un rôle plus familier.

29. Quand vous voyez quelquefois un nombreux trou- 20 peau qui, répandu sur une colline vers le déclin d'un beau jour, paît tranquillement le thym et le serpolet, ou qui broute dans une prairie une herbe menue et tendre qui a échappé à la faux du moissonneur, le berger, soigneux et attentif, est debout auprès de ses brebis; il ne 25 les perd pas de vue, il les suit, il les conduit, il les change de pâturage; si elles se dispersent, il les rassemble; si un loup avide paraît, il lâche son chien, qui le met en fuite; il les nourrit, il les défend; l'aurore le trouve déjà en pleine campagne, d'où il ne se retire 30 qu'avec le soleil: quels soins! quelle vigilance! quelle servitude! Quelle condition vous paraît la plus délicieuse et la plus libre, ou du berger ou des brebis? Le

troupeau est-il fait pour le berger, ou le berger pour le troupeau? Image naïve des peuples et du prince qui les gouverne, s'il est bon prince.

Le faste et le luxe dans un souverain, c'est le berger habillé d'or et de pierreries, la houlette d'or en ses 5 mains; son chien a un collier d'or, il est attaché avec une laisse d'or et de soie. Que sert tant d'or à son troupeau ou contre les loups?

30. Quelle heureuse place que celle qui fournit dans tous les instants l'occasion à un homme de faire du bien 10 à tant de milliers d'hommes! Quel dangereux poste que celui qui expose à tous moments un homme à nuire à un million d'hommes!

35. Que de dons du ciel ne faut-il pas pour bien régner![1] Une naissance auguste, un air d'empire et d'autorité, un 15 visage qui remplisse la curiosité des peuples empressés de voir le prince, et qui conserve le respect dans le courtisan; une parfaite égalité d'humeur; un grand éloignement pour la raillerie piquante, ou assez de raison pour ne se la permettre point; ne faire jamais ni menaces ni 20 reproches; ne point céder à la colère et être toujours obéi; l'esprit facile, insinuant; le cœur ouvert, sincère, et dont on croit voir le fond, et ainsi très propre à se faire des amis, des créatures et des alliés; être secret toutefois, profond et impénétrable dans ses motifs et 25 dans ses projets; du sérieux et de la gravité dans le public; de la brièveté, jointe à beaucoup de justesse et de dignité, soit dans les réponses aux ambassadeurs des princes, soit dans les conseils; une manière de faire des grâces qui est comme un second bienfait; le choix des 30 personnes que l'on gratifie; le discernement des esprits, des talents et des complexions, pour la distribution des

postes et des emplois ; le choix des généraux et des ministres; un jugement ferme, solide, décisif dans les affaires, qui fait que l'on connaît[1] le meilleur parti et le plus juste; un esprit de droiture et d'équité qui fait qu'on le suit
5 jusques à prononcer quelquefois contre soi-même en faveur du peuple, des alliés, des ennemis; une mémoire heureuse et très présente, qui rappelle les besoins des sujets, leurs visages, leurs noms, leurs requêtes; une vaste capacité, qui s'étende non seulement aux affaires de de-
10 hors, au commerce, aux maximes d'État, aux vues de la politique, au reculement[2] des frontières par la conquête de nouvelles provinces, et à leur sûreté par un grand nombre de forteresses inaccessibles, mais qui sache aussi se renfermer au dedans, et comme dans les
15 détails de tout un royaume; qui en bannisse un culte faux,[3] suspect et ennemi de la souveraineté, s'il s'y rencontre; qui abolisse des usages cruels et impies,[4] s'ils y règnent; qui réforme les lois[5] et les coutumes si elles étaient remplies d'abus; qui donne aux villes plus de
20 sûreté et plus de commodités par le renouvellement d'une exacte police, plus d'éclat et plus de majesté par des édifices somptueux ; punir sévèrement les vices scandaleux; donner par son autorité et par son exemple du crédit à la piété et à la vertu ; protéger l'Église, ses mi-
25 nistres, ses droits, ses libertés,[6] ménager ses peuples comme ses enfants ; être toujours occupé de la pensée de les soulager, de rendre les subsides légers, et tels qu'ils se lèvent sur les provinces sans les appauvrir ; de grands talents pour la guerre ; être vigilant, appliqué,
30 laborieux ; avoir des armées nombreuses, les commander en personne ; être froid dans le péril, ne ménager sa vie que pour le bien de son État ; aimer le bien de son État

et sa gloire plus que sa vie ; une puissance très absolue, qui ne laisse point d'occasion aux brigues, à l'intrigue et à la cabale, qui ôte cette distance infinie qui est quelquefois entre les grands et les petits, qui les rapproche, et sous laquelle tous plient également ; une étendue de connaissance qui fait que le prince voit tout par ses yeux, qu'il agit immédiatement et par lui-même, que ses généraux ne sont, quoique éloignés de lui, que ses lieutenants, et les ministres que ses ministres ; une profonde sagesse, qui sait déclarer la guerre, qui sait vaincre et user de la victoire, qui sait faire la paix, qui sait la rompre, qui sait quelquefois, et selon les divers intérêts, contraindre les ennemis à la recevoir ; qui donne des règles à une vaste ambition, et sait jusques où l'on doit conquérir ; au milieu d'ennemis couverts ou déclarés se procurer le loisir des jeux, des fêtes, des spectacles ; cultiver les arts et les sciences ; former et exécuter des projets d'édifices surprenants ; un génie enfin supérieur et puissant, qui se fait aimer et révérer des siens, craindre des étrangers ; qui fait d'une cour, et même de tout un royaume, comme une seule famille, unie parfaitement sous un même chef, dont l'union et la bonne intelligence est redoutable au reste du monde : ces admirables vertus me semblent renfermées dans l'idée du souverain ; il est vrai qu'il est rare de les voir réunies dans un même sujet : il faut que trop de choses concourent à la fois, l'esprit, le cœur, les dehors, le tempérament ; et il me paraît qu'un monarque qui les rassemble toutes en sa personne est bien digne du nom de Grand.

DE L'HOMME

1. Ne nous emportons point contre les hommes en voyant leur dureté, leur ingratitude, leur injustice, leur fierté, l'amour d'eux-mêmes, et l'oubli des autres; ils sont ainsi faits, c'est leur nature: c'est ne pouvoir supporter
5 que la pierre tombe ou que le feu s'élève.

2. Les hommes, en un sens, ne sont point légers, ou ne le sont que dans les petites choses. Ils changent leurs habits, leur langage, les dehors, les bienséances; ils changent de goût quelquefois: ils gardent leurs mœurs
10 toujours mauvaises, fermes et constants dans le mal, ou dans l'indifférence pour la vertu.

5. Il est difficile de décider si l'irrésolution rend l'homme plus malheureux que méprisable; de même s'il y a toujours plus d'inconvénient à prendre un mauvais parti,
15 qu'à n'en prendre aucun.

8. L'incivilité n'est pas un vice de l'âme, elle est l'effet de plusieurs vices: de la sotte vanité, de l'ignorance de ses devoirs, de la paresse, de la stupidité, de la distraction, du mépris des autres, de la jalousie. Pour ne se
20 répandre que sur les dehors, elle n'en est que plus haïssable, parce que c'est toujours un défaut visible et manifeste. Il est vrai cependant qu'il offense plus ou moins, selon la cause qui le produit.

9. Dire d'un homme colère, inégal, querelleux, chagrin,
25 pointilleux, capricieux: «c'est son humeur,» n'est pas l'excuser, comme on le croit, mais avouer sans y penser que de si grands défauts sont irrémédiables. . . .

15. Il y a des vices que nous ne devons à personne, que nous apportons en naissant, et que nous fortifions
30 par l'habitude. Il y en a d'autres que l'on contracte, et

qui nous sont étrangers. L'on est né quelquefois avec des mœurs faciles, de la complaisance et tout le désir de plaire; mais par les traitements que l'on reçoit de ceux avec qui l'on vit ou de qui l'on dépend, l'on est bientôt jeté hors de ses mesures, et même de son naturel; l'on a des chagrins et une bile que l'on ne se connaissait point, l'on se voit une autre complexion, l'on est enfin étonné de se trouver dur et épineux.

16. L'on demande pourquoi tous les hommes ensemble ne composent pas comme une seule nation et n'ont point voulu parler une même langue, vivre sous les mêmes lois, convenir entre eux des mêmes usages et d'un même culte; et moi, pensant à la contrariété des esprits, des goûts et des sentiments, je suis étonné de voir jusques à sept ou huit personnes se rassembler sous un même toit, dans une même enceinte, et composer une seule famille.

19. La vie est courte et ennuyeuse: elle se passe toute à désirer. L'on remet à l'avenir son repos et ses joies, à cet âge souvent où les meilleurs biens ont déjà disparu, la santé et la jeunesse. Ce temps arrive, qui nous surprend encore dans les désirs; on en est là, quand la fièvre nous saisit et nous éteint; si l'on eût guéri, ce n'était que pour désirer plus longtemps.

28. Rien n'engage tant un esprit raisonnable à supporter tranquillement des parents et des amis les torts qu'ils ont à son égard, que la réflexion qu'il fait sur les vices de l'humanité, et combien il est pénible aux hommes d'être constants, généreux, fidèles, d'être touchés d'une amitié plus forte que leur intérêt. Comme il connaît leur portée, il n'exige point d'eux qu'ils pénètrent les corps, qu'ils volent dans l'air, qu'ils aient de l'équité. Il peut haïr les hommes en général, où il y a si peu de

vertu; mais il excuse les particuliers, il les aime même par des motifs plus relevés,[1] et il s'étudie à mériter le moins qu'il se peut une pareille indulgence.

31. Il ne faut quelquefois qu'une jolie maison dont on
5 hérite, qu'un beau cheval ou un joli chien dont on se trouve le maître, qu'une tapisserie, qu'une pendule, pour adoucir une grande douleur, et pour faire moins sentir une grande perte.

33. Si la vie est misérable elle est pénible à supporter;
10 si elle est heureuse il est horrible de la perdre. L'un revient à l'autre.

34. Il n'y a rien que les hommes aiment mieux à conserver et qu'ils ménagent moins que leur propre vie.

39. Pensons que, comme nous soupirons présentement
15 pour la florissante jeunesse qui n'est plus et ne reviendra point, la caducité suivra, qui nous fera regretter l'âge viril où nous sommes encore, et que nous n'estimons pas assez.

46. Le regret qu'ont les hommes du mauvais emploi
20 du temps qu'ils ont déjà vécu ne les conduit pas toujours à faire de celui qui leur reste à vivre un meilleur usage.

48. Il n'y a pour l'homme que trois événements: naître, vivre et mourir. Il ne se sent pas naître, il souffre à mourir, et il oublie de vivre.

25 49. Il y a un temps où la raison n'est pas encore, où l'on ne vit que par instinct, à la manière des animaux, et dont il ne reste dans la mémoire aucun vestige. Il y a un second temps où la raison se développe, où elle est formée, et où elle pourrait agir, si elle n'était pas ob-
30 scurcie et comme éteinte par les vices de la complexion, et par un enchaînement de passions qui se succèdent les unes aux autres, et conduisent jusques au troisième et

dernier âge. La raison, alors dans sa force, devrait produire; mais elle est refroidie et ralentie par les années, par la maladie et la douleur, déconcertée ensuite par le désordre de la machine, qui est dans son déclin: et ces temps néanmoins sont la vie de l'homme. 5

50. Les enfants sont hautains, dédaigneux, colères, envieux, curieux, intéressés, paresseux, volages, timides, intempérants, menteurs, dissimulés; ils rient et pleurent facilement: ils ont des joies immodérées et des afflictions amères sur de très petits sujets; ils ne veulent point 10 souffrir de mal, et aiment à en faire: ils sont déjà des hommes.

51. Les enfants n'ont ni passé ni avenir, et, ce qui ne nous arrive guère, ils jouissent du présent.

52. Le caractère de l'enfance paraît unique[1]; les 15 mœurs, dans cet âge, sont assez les mêmes, et ce n'est qu'avec une curieuse attention qu'on en pénètre la différence: elle augmente avec la raison, parce qu'avec celle-ci croissent les passions et les vices, qui seuls rendent les hommes si dissemblables entre eux, et si 20 contraires à eux-mêmes.

54. Il n'y a nuls vices extérieurs et nuls défauts du corps qui ne soient aperçus par les enfants; ils les saisissent d'une première vue, et ils savent les exprimer par des mots convenables: on ne nomme point plus heureuse- 25 ment. Devenus hommes, ils sont chargés à leur tour de toutes les imperfections dont ils se sont moqués.

L'unique soin des enfants est de trouver l'endroit faible de leurs maîtres, comme de tous ceux à qui ils sont soumis: dès qu'ils ont pu les entamer, ils gagnent le 30 dessus et prennent sur eux un ascendant qu'ils ne perdent plus. Ce qui nous fait déchoir une première fois de cette supériorité à leur égard est toujours ce qui nous empêche de la recouvrer.

55. La paresse, l'indolence et l'oisiveté, vices si naturels aux enfants, disparaissent dans leurs jeux, où ils
5 sont vifs, appliqués, exacts, amoureux des règles et de la symétrie, où ils ne se pardonnent nulle faute les uns aux autres, et recommencent eux-mêmes plusieurs fois une seule chose qu'ils ont manquée: présages certains qu'ils pourront un jour négliger leurs devoirs, mais qu'ils
10 n'oublieront rien pour leurs plaisirs.

57. Les enfants commencent entre eux par l'état populaire: chacun y est le maître; et ce qui est bien naturel, ils ne s'en accommodent pas longtemps, et passent au monarchique. Quelqu'un se distingue, ou par une plus
15 grande vivacité, ou par une meilleure disposition du corps, ou par une connaissance plus exacte des jeux différents et des petites lois qui les composent; les autres lui défèrent, et il se forme alors un gouvernement absolu qui ne roule que sur le plaisir.

20 60. On ne vit point assez pour profiter de ses fautes. On en commet pendant tout le cours de sa vie; et tout ce que l'on peut faire à force de faillir, c'est de mourir corrigé.

Il n'y a rien qui rafraîchisse le sang comme d'avoir
25 su éviter de faire une sottise.

63. L'esprit de parti abaisse les plus grands hommes jusques aux petitesses du peuple.

64. Nous faisons par vanité ou par bienséance les mêmes choses et avec les mêmes dehors que nous les
30 ferions par inclination ou par devoir. Tel vient de mourir à Paris de la fièvre qu'il a gagnée à veiller sa femme, qu'il n'aimait point.

68. On veut quelquefois cacher ses faibles, ou en diminuer l'opinion, par l'aveu libre que l'on en fait. Tel dit: «Je suis ignorant,» qui ne sait rien. Un homme dit: «Je suis vieux,» il passe soixante ans; un autre encore: «Je ne suis pas riche,» et il est pauvre. 5

72. Notre vanité et la trop grande estime que nous avons de nous-mêmes nous fait soupçonner dans les autres une fierté à notre égard qui y est quelquefois, et qui souvent n'y est pas: une personne modeste n'a point cette délicatesse. 10

74. D'où vient qu'*Alcippe* me salue aujourd'hui, me sourit, et se jette hors d'une portière, de peur de me manquer? Je ne suis pas riche, et je suis à pied: il doit, dans les règles, ne me pas voir. N'est-ce point pour être vu lui-même dans un même fond[1] avec un 15 grand?

76. Nous cherchons notre bonheur hors de nous-mêmes, et dans l'opinion des hommes, que nous connaissons flatteurs, peu sincères, sans équité, pleins d'envie, de caprices et de préventions. Quelle bizarrerie! 20

79. La santé et les richesses, ôtant aux hommes l'expérience du mal, leur inspirent la dureté pour leurs semblables; et les gens déjà chargés de leur propre misère sont ceux qui entrent davantage par la compassion dans celle d'autrui. 25

82. Il y a une espèce de honte d'être heureux à la vue de certaines misères.

83. On est prompt à connaître ses plus petits avantages, et lent à pénétrer ses défauts. On n'ignore point qu'on a de beaux sourcils, les ongles bien faits; on sait 30 à peine que l'on est borgne; on ne sait point du tout que l'on manque d'esprit.

Argyre tire son gant pour montrer une belle main, et elle ne néglige pas de découvrir un petit soulier qui suppose qu'elle a le pied petit; elle rit des choses plaisantes ou sérieuses, pour faire voir de belles dents; si elle 5 montre son oreille, c'est qu'elle l'a bien faite; et si elle ne danse jamais, c'est qu'elle est peu contente de sa taille, qu'elle a épaisse. Elle entend tous ses intérêts, à l'exception d'un seul: elle parle toujours, et n'a point d'esprit.

10 84. Les hommes comptent presque pour rien toutes les vertus du cœur, et idolâtrent les talents du corps et de l'esprit. Celui qui dit froidement de soi, et sans croire blesser la modestie, qu'il est bon, qu'il est constant, fidèle, sincère, équitable, reconnaissant, n'ose dire qu'il 15 est vif, qu'il a les dents belles et la peau douce: cela est trop fort.

Il est vrai qu'il y a deux vertus que les hommes admirent, la bravoure et la libéralité, parce qu'il y a deux choses qu'ils estiment beaucoup, et que ces vertus font 20 négliger, la vie et l'argent: aussi personne n'avance de soi qu'il est brave ou libéral.

Personne ne dit de soi, et surtout sans fondement, qu'il est beau, qu'il est généreux, qu'il est sublime: on a mis ces qualités à un trop haut prix; on se contente de le 25 penser.

86. L'on voit peu d'esprits entièrement lourds et stupides; l'on en voit encore moins qui soient sublimes et transcendants. Le commun des hommes nage entre ces deux extrémités. L'intervalle est rempli par un grand 30 nombre de talents ordinaires, mais qui sont d'un grand usage, servent à la république, et renferment en soi l'utile et l'agréable: comme le commerce, les finances, le détail

des armées, la navigation, les arts, les métiers, l'heureuse mémoire, l'esprit du jeu,[1] celui de la société et de la conversation.

89. Un homme qui n'a de l'esprit que dans une certaine médiocrité est sérieux et tout d'une pièce : il ne rit point, il ne badine jamais, il ne tire aucun fruit de la bagatelle ; aussi incapable de s'élever aux grandes choses que de s'accommoder, même par relâchement, des plus petites, il sait à peine jouer avec ses enfants.

91. Quelle mésintelligence entre l'esprit et le cœur ! Le philosophe vit mal avec tous ses préceptes, et le politique, rempli de vues et de réflexions, ne sait pas se gouverner.

92. L'esprit s'use comme toutes choses; les sciences sont ses aliments, elles le nourrissent et le consument.

93. Les petits sont quelquefois chargés de mille vertus inutiles ; ils n'ont pas de quoi les mettre en œuvre.

95. Un homme haut et robuste, qui a une poitrine large et de larges épaules, porte légèrement et de bonne grâce un lourd fardeau ; il lui reste encore un bras de libre : un nain serait écrasé de la moitié de sa charge. Ainsi les postes éminents rendent les grands hommes encore plus grands, et les petits beaucoup plus petits.

101. L'ennui est entré dans le monde par la paresse ; elle a beaucoup de part dans la recherche que font les hommes des plaisirs, du jeu, de la société. Celui qui aime le travail a assez de soi-même.

108. Les haines sont si longues et si opiniâtrées que le plus grand signe de mort dans un homme malade, c'est la réconciliation.

109. L'on s'insinue auprès de tous les hommes ou en les flattant dans les passions qui occupent leur âme, ou

en compatissant aux infirmités qui affligent leur corps; en cela seul consistent les soins que l'on peut leur rendre: de là vient que celui qui se porte bien, et qui désire peu de choses, est moins facile à gouverner.

5 113. Ce n'est pas le besoin d'argent où les vieillards peuvent appréhender de tomber un jour qui les rend avares, car il y en a de tels qui ont de si grands fonds qu'ils ne peuvent guère avoir cette inquiétude; et d'ailleurs, comment pourraient-ils craindre de manquer dans 10 leur caducité des commodités de la vie, puisqu'ils s'en privent eux-mêmes volontairement pour satisfaire à leur avarice? Ce n'est point aussi l'envie de laisser de plus grandes richesses à leurs enfants, car il n'est pas naturel d'aimer quelque autre chose plus que soi-même, outre 15 qu'il se trouve des avares qui n'ont point d'héritiers. Ce vice est plutôt l'effet de l'âge et de la complexion des vieillards, qui s'y abandonnent aussi naturellement qu'ils suivaient leurs plaisirs dans leur jeunesse, ou leur ambition dans l'âge viril. Il ne faut ni vigueur, ni jeunesse, 20 ni santé, pour être avare; l'on n'a aussi nul besoin de s'empresser ou de se donner le moindre mouvement pour épargner ses revenus: il faut laisser seulement son bien dans ses coffres, et se priver de tout. Cela est commode aux vieillards, à qui il faut une passion, parce qu'ils sont 25 hommes.

115. Le souvenir de la jeunesse est tendre dans les vieillards: ils aiment les lieux où ils l'ont passée; les personnes qu'ils ont commencé de connaître dans ce temps leur sont chères; ils affectent quelques mots du 30 premier langage qu'ils ont parlé; ils tiennent pour l'ancienne manière de chanter, et pour la vieille danse; ils vantent les modes qui régnaient alors dans les habits,

les meubles et les équipages. Ils ne peuvent encore désapprouver des choses qui servaient à leurs passions, qui étaient si utiles à leurs plaisirs, et qui en rappellent la mémoire. Comment pourraient-ils leur préférer de nouveaux usages et des modes toutes récentes, où ils 5 n'ont nulle part, dont ils n'espèrent rien, que les jeunes gens ont faites, et dont ils tirent à leur tour de si grands avantages contre la vieillesse ?

121. *Gnathon* ne vit que pour soi, et tous les hommes ensemble sont à son égard comme s'ils n'étaient point. 10 Non content de remplir à une table la première place, il occupe lui seul celle de deux autres; il oublie que le repas est pour lui et pour toute la compagnie; il se rend maître du plat, et fait son propre[1] de chaque service; il ne s'attache à aucun des mets qu'il n'ait achevé d'es- 15 sayer de tous; il voudrait pouvoir les savourer tous tout à la fois. Il ne se sert à table que de ses mains; il manie les viandes, les remanie, démembre, déchire, et en use de manière qu'il faut que les conviés, s'ils veulent manger, mangent ses restes. Il ne leur épargne aucune 20 de ces malpropretés dégoûtantes, capables d'ôter l'appétit aux plus affamés ; le jus et les sauces lui dégouttent du menton et de la barbe; s'il enlève un ragoût de dessus un plat, il le répand en chemin dans un autre plat et sur la nappe: on le suit à la trace. Il mange haut et avec 25 grand bruit; il roule les yeux en mangeant; la table est pour lui un râtelier; il écure ses dents, et il continue à manger. Il se fait, quelque part où il se trouve, une manière d'établissement, et ne souffre pas d'être plus pressé au sermon ou au théâtre que dans sa chambre. 30 Il n'y a dans un carrosse que les places du fond qui lui conviennent; dans toute autre, si on veut l'en croire, il

pâlit et tombe en faiblesse. S'il fait un voyage avec plusieurs, il les prévient dans les hôtelleries, et il sait toujours se conserver dans la meilleure chambre le meilleur lit. Il tourne tout à son usage; ses valets, ceux 5 d'autrui, courent dans le même temps pour son service. Tout ce qu'il trouve sous sa main lui est propre, hardes, équipages. Il embarrasse tout le monde, ne se contraint pour personne, ne plaint personne, ne connaît des maux que les siens, que sa réplétion et sa bile, ne pleure point 10 la mort des autres, n'appréhende que la sienne, qu'il rachèterait volontiers de l'extinction du genre humain.

122. *Cliton* n'a jamais eu en toute sa vie que deux affaires, qui est de dîner le matin et de souper le soir : il ne semble né que pour la digestion. Il n'a de même qu'un 15 entretien: il dit les entrées qui ont été servies au dernier repas où il s'est trouvé; il dit combien il y a eu de potages, et quels potages; il place ensuite le rôt et les entremets; il se souvient exactement de quels plats on a relevé[1] le premier service; il n'oublie pas les *hors d'œuvre*, 20 le fruit et les assiettes ;[2] il nomme tous les vins et toutes les liqueurs dont il a bu; il possède le langage des cuisines autant qu'il peut s'étendre, et il me fait envie de manger à une bonne table où il ne soit point. Il a surtout un palais sûr, qui ne prend point le change, et il ne s'est 25 jamais vu exposé à l'horrible inconvénient de manger un mauvais ragoût ou de boire d'un vin médiocre. C'est un personnage illustre dans son genre, et qui a porté le talent de se bien nourrir jusques où il pouvait aller. On ne reverra plus un homme qui mange tant et qui mange 30 si bien; aussi est-il l'arbitre des bons morceaux, et il n'est guère permis d'avoir du goût pour ce qu'il désapprouve. Mais il n'est plus : il s'est fait du moins porter

à table jusqu'au dernier soupir. Il donnait à manger le jour qu'il est mort. Quelque part où il soit, il mange ; et s'il revient au monde, c'est pour manger.

123. *Ruffin* commence à grisonner ; mais il est sain, il a un visage frais et un œil vif qui lui promettent encore vingt années de vie ; il est gai, *jovial*, familier, indifférent ; il rit de tout son cœur, et il rit tout seul et sans sujet : il est content de soi, des siens, de sa petite fortune ; il dit qu'il est heureux. Il perd son fils unique, jeune homme de grande espérance, et qui pouvait un jour être l'honneur de sa famille ; il remet sur d'autres le soin de le pleurer ; il dit : « Mon fils est mort, cela fera mourir sa mère ; » et il est consolé. Il n'a point de passions, il n'a ni amis ni ennemis, personne ne l'embarrasse, tout le monde lui convient, tout lui est propre ; il parle à celui qu'il voit une première fois avec la même liberté et la même confiance qu'à ceux qu'il appelle de vieux amis, et il lui fait part bientôt de ses *quolibets* et de ses historiettes. On l'aborde, on le quitte sans qu'il y fasse attention, et le même conte qu'il a commencé de faire à quelqu'un, il l'achève à celui qui prend sa place.

127. Il faut des saisies de terre et des enlèvements de meubles, des prisons et des supplices, je l'avoue ; mais justice, lois et besoins à part, ce m'est une chose toujours nouvelle de contempler avec quelle férocité les hommes traitent d'autres hommes.

128. L'on voit certains animaux farouches,[1] des mâles et des femelles, répandus par la campagne, noirs, livides et tout brûlés du soleil, attachés à la terre qu'ils fouillent et qu'ils remuent avec une opiniâtreté invincible ; ils ont comme une voix articulée, et quand ils se lèvent sur leurs pieds ils montrent une face humaine ; et en effet ils sont

des hommes. Ils se retirent la nuit dans des tanières, où ils vivent de pain noir, d'eau et de racines; ils épargnent aux autres hommes la peine de semer, de labourer et de recueillir pour vivre, et méritent ainsi de ne pas
5 manquer de ce pain qu'ils ont semé.

132. Bien loin de s'effrayer ou de rougir même du nom de philosophe, il n'y a personne au monde qui ne dût avoir une forte teinture de philosophie.[1] Elle convient à tout le monde; la pratique en est utile à tous les âges,
10 à tous les sexes et à toutes les conditions; elle nous console du bonheur d'autrui, des indignes préférences, des mauvais succès, du déclin de nos forces ou de notre beauté; elle nous arme contre la pauvreté, la vieillesse, la maladie et la mort, contre les sots et les mauvais rail-
15 leurs; elle nous fait vivre sans une femme, ou nous fait supporter celle avec qui nous vivons.

133. Les hommes, en un même jour, ouvrent leur âme à de petites joies, et se laissent dominer par de petits chagrins; rien n'est plus inégal et moins suivi que ce qui
20 se passe en si peu de temps dans leur cœur et dans leur esprit. Le remède à ce mal est de n'estimer les choses du monde précisément que ce qu'elles valent.

136. Il n'y a pour l'homme qu'un vrai malheur, qui est de se trouver en faute, et d'avoir quelque chose à se
25 reprocher.

137. La plupart des hommes, pour arriver à leurs fins, sont plus capables d'un grand effort que d'une longue persévérance: leur paresse ou leur inconstance leur fait perdre le fruit des meilleurs commencements; ils se
30 laissent souvent devancer par d'autres qui sont partis après eux, et qui marchent lentement, mais constamment.

142. L'homme du meilleur esprit est inégal ; il souffre des accroissements et des diminutions ; il entre en verve, mais il en sort : alors, s'il est sage, il parle peu, il n'écrit point, il ne cherche point à imaginer ni à plaire. Chante-t-on avec un rhume ? ne faut-il pas attendre que la voix revienne ?

Le sot est *automate*,[1] il est machine, il est ressort ; le poids l'emporte, le fait mouvoir, le fait tourner, et toujours, et dans le même sens, et avec la même égalité ; il est uniforme, il ne se dément point : qui l'a vu une fois, l'a vu dans tous les instants et dans toutes les périodes de sa vie ; c'est tout au plus le bœuf qui meugle,[2] ou le merle qui siffle : il est fixé et déterminé par sa nature, et j'ose dire par son espèce. Ce qui paraît le moins en lui, c'est son âme ; elle n'agit point, elle se repose.

146. L'affectation dans le geste, dans le parler et dans les manières, est souvent une suite de l'oisiveté ou de l'indifférence ; et il semble qu'un grand attachement ou de sérieuses affaires jettent l'homme dans son naturel.

149. L'on se repent rarement de parler peu, très souvent de trop parler : maxime usée et triviale que tout le monde sait, et que tout le monde ne pratique pas.

150. C'est se venger contre soi-même, et donner un trop grand avantage à ses ennemis, que de leur imputer des choses qui ne sont pas vraies, et de mentir pour les décrier.

154. Il faut aux enfants les verges et la férule ; il faut aux hommes faits une couronne, un sceptre, un mortier, des fourrures,[3] des faisceaux, des timbales, des hoquetons.[4] La raison et la justice dénuées de tous leurs ornements ni ne persuadent ni n'intimident.

L'homme, qui est esprit, se mène par les yeux et les oreilles.

156. La raison tient de la vérité, elle est une; l'on n'y arrive que par un chemin, et l'on s'en écarte par 5 mille. L'étude de la sagesse a moins d'étendue que celle que l'on ferait des sots et des impertinents. Celui qui n'a vu que des hommes polis et raisonnables, ou ne connaît pas l'homme, ou ne le connaît qu'à demi: quelque diversité qui se trouve dans les complexions ou dans les 10 mœurs, le commerce du monde et la politesse donnent les mêmes apparences, font qu'on se ressemble les uns aux autres par des dehors qui plaisent réciproquement, qui semblent communs à tous et qui font croire qu'il n'y a rien ailleurs qui ne s'y rapporte. Celui au contraire 15 qui se jette dans le peuple ou dans la province y fait bientôt, s'il a des yeux, d'étranges découvertes, y voit des choses qui lui sont nouvelles, dont il ne se doutait pas, dont il ne pouvait avoir le moindre soupçon; il avance, par des expériences continuelles, dans la con- 20 naissance de l'humanité; il calcule presque en combien de manières différentes l'homme peut être insupportable.

DES JUGEMENTS

3. Les grandes choses étonnent et les petites rebutent; nous nous apprivoisons avec les unes et les autres par habitude.

25 4. Deux choses toutes contraires nous préviennent également, l'habitude et la nouveauté.

7. Il est étonnant qu'avec tout l'orgueil dont nous sommes gonflés, et la haute opinion que nous avons de nous-mêmes et de la bonté de notre jugement, nous 30 négligions de nous en servir pour prononcer sur le

mérite des autres. La vogue, la faveur populaire, celle du prince, nous entraînent comme un torrent: nous louons ce qui est loué bien plus que ce qui est louable.[1]

13. Le phénix[2] de la poésie *chantante* renaît de ses cendres; il a vu mourir et revivre sa réputation en un même jour. Ce juge même si infaillible et si ferme dans ses jugements, le public, a varié sur son sujet; ou il se trompe, ou il s'est trompé. Celui qui prononcerait aujourd'hui que Q * * *, en un certain genre, est mauvais poète, parlerait presque aussi mal que s'il eût dit, il y a quelque temps: *Il est bon poète.*

17. Rien ne découvre mieux dans quelle disposition sont les hommes à l'égard des sciences et des belles-lettres, et de quelle utilité ils les croient dans la république, que le prix qu'ils y ont mis,[3] et l'idée qu'ils se forment de ceux qui ont pris le parti de les cultiver. Il n'y a point d'art si mécanique ni de si vile condition où les avantages ne soient plus sûrs, plus prompts et plus solides. Le comédien, couché dans son carrosse, jette de la boue au visage de CORNEILLE, qui est à pied. Chez plusieurs, savant et pédant sont synonymes.

Souvent, où le riche parle et parle de doctrine,[4] c'est aux doctes à se taire, à écouter, à applaudir, s'ils veulent du moins ne passer que pour doctes.

19. . . . Les langues[5] sont la clef ou l'entrée des sciences, et rien davantage; le mépris des unes tombe sur les autres. Il ne s'agit point si les langues sont anciennes ou nouvelles, mortes ou vivantes, mais si elles sont grossières ou polies, si les livres qu'elles ont formés sont d'un bon ou d'un mauvais goût. Supposons que notre langue pût un jour avoir le sort de la grecque ou de

la latine, serait-on pédant, quelques siècles après qu'on ne la parlerait plus, pour lire MOLIÈRE ou LA FONTAINE?

22. Si les ambassadeurs[1] des princes étrangers étaient des singes instruits à marcher sur leurs pieds de derrière, et à se faire entendre par interprète, nous ne pourrions pas marquer un plus grand étonnement que celui que nous donne la justesse de leurs réponses, et le bon sens qui paraît quelquefois dans leurs discours. La prévention du pays, jointe à l'orgueil de la nation, nous fait oublier que la raison est de tous les climats, et que l'on pense juste partout où il y a des hommes. Nous n'aimerions pas à être traités ainsi de ceux que nous appelons barbares; et s'il y a en nous quelque barbarie, elle consiste à être épouvantés de voir d'autres peuples raisonner comme nous.

Tous les étrangers ne sont pas barbares et tous nos compatriotes ne sont pas civilisés: de même toute campagne n'est pas agreste[2] et toute ville n'est pas polie. Il y a dans l'Europe un endroit d'une province maritime d'un grand royaume où le villageois est doux et insinuant, le bourgeois au contraire et le magistrat grossiers, et dont la rusticité est héréditaire.

23. Avec un langage si pur, une si grande recherche dans nos habits, des mœurs si cultivées, de si belles lois et un visage blanc nous sommes barbares pour quelques peuples.

24. Si nous entendions dire des Orientaux qu'ils boivent ordinairement d'une liqueur qui leur monte à la tête, leur fait perdre la raison et les fait vomir, nous dirions: «Cela est bien barbare.»

27. Il ne faut pas juger des hommes comme d'un tableau ou d'une figure, sur une seule et première vue; il

y a un intérieur et un cœur qu'il faut approfondir. Le voile de la modestie couvre le mérite, et le masque de l'hypocrisie cache la malignité. Il n'y a qu'un très petit nombre de connaisseurs qui discerne, et qui soit en droit de prononcer. Ce n'est que peu à peu, et forcés même 5 par le temps et les occasions, que la vertu parfaite et le vice consommé viennent enfin à se déclarer.

30. Un homme de talent et de réputation, s'il est chagrin et austère, il[1] effarouche les jeunes gens, les fait penser mal de la vertu, et la leur rend suspecte d'une trop 10 grande réforme et d'une pratique trop ennuyeuse. S'il est au contraire d'un bon commerce, il leur est une leçon utile; il leur apprend qu'on peut vivre gaiement et laborieusement, avoir des vues sérieuses sans renoncer aux plaisirs honnêtes: il leur devient un exemple qu'on peut 15 suivre.

31. La physionomie n'est pas une règle qui nous soit donnée pour juger des hommes: elle nous peut servir de conjecture.

34. Combien d'art pour rentrer dans la nature! com- 20 bien de temps, de règles, d'attention et de travail pour danser avec la même liberté et la même grâce que l'on sait marcher; pour chanter comme on parle, parler et s'exprimer comme l'on pense, jeter autant de force, de vivacité, de passion et de persuasion dans un discours 25 étudié et que l'on prononce dans le public, qu'on en a quelquefois naturellement et sans préparation dans les entretiens les plus familiers!

37. Je ne sais s'il est permis de juger des hommes par une faute qui est unique, et si un besoin extrême, ou une 30 violente passion. ou un premier mouvement, tirent à conséquence.

42. La règle de Descartes,[1] qui ne veut pas qu'on décide sur les moindres vérités avant qu'elles soient connues clairement et distinctement, est assez belle et assez juste pour devoir s'étendre au jugement que l'on fait des personnes.

56. . . . Il y dans le monde[2] quelque chose, s'il se peut, de plus incompréhensible. Un homme paraît grossier, lourd, stupide; il ne sait pas parler, ni raconter ce qu'il vient de voir: s'il se met à écrire, c'est le modèle des bons contes; il fait parler les animaux, les arbres, les pierres, tout ce qui ne parle point: ce n'est que légèreté, qu'élégance, que beau naturel, et que délicatesse dans ses ouvrages.

Un autre est simple,[3] timide, d'une ennuyeuse conversation; il prend un mot pour un autre, et il ne juge de la bonté de sa pièce que par l'argent qui lui en revient; il ne sait pas la réciter, ni lire son écriture. Laissez-le s'élever par la composition: il n'est pas au-dessous d'Auguste, de Pompée, de Nicomède, d'Héraclius; il est roi, et un grand roi; il est politique, il est philosophe; il entreprend de faire parler des héros, de les faire agir; il peint les Romains; ils sont plus grands et plus Romains dans ses vers que dans leur histoire. . . .

58. Tel, connu dans le monde par de grands talents, honoré et chéri partout où il se trouve, est petit dans son domestique et aux yeux de ses proches, qu'il n'a pu réduire à l'estimer; tel autre au contraire, prophète dans son pays, jouit d'une vogue qu'il a parmi les siens et qui est resserrée dans l'enceinte de sa maison, s'applaudit d'un mérite rare et singulier qui lui est accordé par sa famille, dont il est l'idole, mais qu'il laisse chez soi toutes les fois qu'il sort, et qu'il ne porte nulle part.

59. Tout le monde s'élève contre un homme qui entre en réputation: à peine ceux qu'il croit ses amis lui pardonnent-ils un mérite naissant et une première vogue qui semble l'associer à la gloire dont ils sont déjà en possession. L'on ne se rend qu'à l'extrémité, et après que le prince s'est déclaré par les récompenses: tous alors se rapprochent de lui, et de ce jour-là seulement il prend son rang d'homme de mérite.

60. Nous affectons souvent de louer avec exagération des hommes assez médiocres, et de les élever, s'il se pouvait, jusqu'à la hauteur de ceux qui excellent, ou parce que nous sommes las d'admirer toujours les mêmes personnes, ou parce que leur gloire, ainsi partagée, offense moins notre vue, et nous devient plus douce et plus supportable.

62. Il est ordinaire et comme naturel de juger du travail d'autrui seulement par rapport à celui qui nous occupe. Ainsi le poète, rempli de grandes et sublimes idées, estime peu le discours de l'orateur, qui ne s'exerce souvent que sur de simples faits; et celui qui écrit l'histoire de son pays ne peut comprendre qu'un esprit raisonnable emploie sa vie à imaginer des fictions et à trouver une rime; de même le bachelier[1] plongé dans les quatre premiers siècles, traite toute autre doctrine de science triste, vaine et inutile, pendant qu'il est peut-être méprisé du géomètre.

70. C'est abréger, et s'épargner mille discussions, que de penser de certaines gens qu'ils sont incapables de parler juste, et de condamner ce qu'ils disent, ce qu'ils ont dit, et ce qu'ils diront.

71. Nous n'approuvons les autres que par les rapports que nous sentons qu'ils ont avec nous-

mêmes; et il semble qu'estimer quelqu'un, c'est l'égaler à soi.

72. Les mêmes défauts qui, dans les autres, sont lourds et insupportables, sont chez nous comme dans 5 leur centre; ils ne pèsent plus, on ne les sent pas. Tel parle d'un autre, et en fait un portrait affreux, qui ne voit pas qu'il se peint lui-même.

Rien ne nous corrigerait plus promptement de nos défauts que si nous étions capables de les avouer et de les 10 reconnaître dans les autres: c'est dans cette juste distance que, nous paraissant tels qu'ils sont, ils se feraient haïr autant qu'ils le méritent.

74. Le guerrier et le politique, non plus que le joueur habile, ne font pas le hasard, mais ils le préparent, ils 15 l'attirent, et semblent presque le déterminer. Non seulement ils savent ce que le sot et le poltron ignorent, je veux dire se servir du hasard quand il arrive; ils savent même profiter, par leurs précautions et leurs mesures, d'un tel ou d'un tel hasard, ou de plusieurs tout à la fois. 20 Si ce point arrive, ils gagnent; si c'est cet autre, ils gagnent encore; un même point souvent les fait gagner de plusieurs manières. Ces hommes sages peuvent être loués de leur bonne fortune comme de leur bonne conduite, et le hasard doit être récompensé en eux comme 25 la vertu.

83. L'honnêteté, les égards et la politesse des personnes avancées en âge, de l'un et de l'autre sexe, me donnent bonne opinion de ce qu'on appelle le vieux temps.

84. C'est un excès de confiance dans les parents 30 d'espérer tout de la bonne éducation de leurs enfants, et une grande erreur de n'en attendre rien et de la négliger.

85. Quand il serait vrai, ce que plusieurs disent, que l'éducation ne donne point à l'homme un autre cœur ni une autre complexion, qu'elle ne change rien dans son fond et ne touche qu'aux superficies, je ne laisserais pas de dire qu'elle ne lui est pas inutile. 5

87. Ne songer qu'à soi et au présent, source d'erreur dans la politique.

98. A voir comme les hommes aiment la vie, pouvait-on soupçonner qu'ils aimassent quelque autre chose plus que la vie; et que la gloire, qu'ils préfèrent à la vie, ne 10 fût souvent qu'une certaine opinion d'eux-mêmes établie dans l'esprit de mille gens ou qu'ils ne connaissent point ou qu'ils n'estiment point?

104. «A quoi vous divertissez-vous? à quoi passez-vous le temps?» vous demandent les sots et les gens 15 d'esprit. Si je réplique que c'est à ouvrir des yeux et à voir, à prêter l'oreille et à entendre, à avoir la santé, le repos, la liberté, ce n'est rien dire. Les solides biens, les grands biens, les seuls biens ne sont pas comptés, ne se font pas sentir. «Jouez-vous? masquez-vous?[1]» il faut 20 répondre . . .

107. Si le monde[2] dure seulement cent millions d'années, il est encore dans toute sa fraîcheur, et ne fait presque que commencer; nous-mêmes nous touchons aux premiers hommes et aux patriarches: et qui pourra ne 25 nous pas confondre avec eux dans les siècles si reculés? Mais si l'on juge par le passé de l'avenir, quelles choses nouvelles nous sont inconnues dans les arts, dans les sciences, dans la nature, et j'ose dire dans l'histoire! Quelles découvertes ne fera-t-on point! Quelles différen- 30 tes révolutions ne doivent pas arriver sur toute la face de la terre, dans les États et dans les empires! Quelle

ignorance est la nôtre! et quelle légère expérience que celle de six ou sept mille ans![1]

108. Il n'y a point de chemin trop long à qui marche lentement et sans se presser: il n'y a point d'avantages trop éloignés à qui s'y prépare par la patience.

110. Le monde est pour ceux qui suivent les cours ou qui peuplent les villes; la nature n'est que pour ceux qui habitent la campagne: eux seuls vivent, eux seuls du moins connaissent qu'ils vivent.

113. Les hommes, sur la conduite des grands[2] et des petits indifféremment, sont prévenus, charmés, enlevés par la réussite; il s'en faut peu que le crime heureux ne soit loué comme la vertu même, et que le bonheur ne tienne lieu de toutes les vertus. C'est un noir attentat, c'est une sale et odieuse entreprise que celle que le succès ne saurait justifier.

DE LA MODE

1. Une chose folle et qui découvre bien notre petitesse, c'est l'assujettissement aux modes, quand on l'étend à ce qui concerne le goût, le vivre,[3] la santé et la conscience. La viande noire[4] est hors de mode, et par cette raison insipide; ce serait pécher contre la mode que de guérir de la fièvre par la saignée.[5] De même l'on ne mourait plus depuis longtemps par *Théotime;* ses tendres exhortations ne sauvaient plus que le peuple, et Théotime a vu son successeur.

2. La curiosité n'est pas un goût pour ce qui est bon ou ce qui est beau, mais pour ce qui est rare, unique, pour ce qu'on a et ce que les autres n'ont point. Ce n'est pas un attachement à ce qui est parfait, mais à ce qui est couru, à ce qui est à la mode. Ce n'est pas un

amusement, mais une passion, et souvent si violente qu'elle ne cède à l'amour et à l'ambition que par la petitesse de son objet. Ce n'est pas une passion qu'on a généralement pour les choses rares et qui ont cours, mais qu'on a seulement pour une certaine chose, qui est rare, et pourtant à la mode.

Le fleuriste a un jardin dans un faubourg; il y court au lever du soleil, et il en revient à son coucher. Vous le voyez planté, et qui a pris racine au milieu de ses tulipes et devant la *Solitaire*:[1] il ouvre de grands yeux, il frotte ses mains, il se baisse, il la voit de plus près, il ne l'a jamais vue si belle, il a le cœur épanoui de joie; il la quitte pour l'*Orientale*, de là, il va à la *Veuve;* il passe au *Drap d'or*, de celle-ci à l'*Agathe*, d'où il revient enfin à la *Solitaire*, où il se fixe, où il se lasse, où il s'assit,[2] où il oublie de dîner: aussi est-elle nuancée, bordée, huilée,[3] à pièces emportées;[4] elle a un beau vase ou un beau calice: il la contemple, il l'admire. Dieu et la nature sont en tout cela ce qu'il n'admire point: il ne va pas plus loin que l'oignon de sa tulipe, qu'il ne liverait pas pour mille écus, et qu'il donnera pour rien quand les tulipes seront négligées et que les œillets auront prévalu. Cet homme raisonnable qui a une âme, qui a un culte et une religion, revient chez soi fatigué, affamé, mais fort content de sa journée: il a vu des tulipes.

Parlez à cet autre de la richesse des moissons, d'une ample récolte, d'une bonne vendange: il est curieux de fruits; vous n'articulez pas, vous ne vous faites pas entendre. Parlez-lui de figues et de melons, dites que les poiriers rompent de fruit cette année, que les pêchers ont donné avec abondance: c'est pour lui un idiome inconnu: il s'attache aux seuls pruniers, il ne vous répond pas. Ne l'entretenez pas même de vos pruniers: il n'a de l'amour que pour une certaine espèce, toute autre que vous lui nommez le fait sourire et se moquer. Il vous mène à l'arbre, cueille artistement cette prune exquise; 5 il l'ouvre, vous en donne une moitié et prend l'autre: «Quelle chair! dit-il; goûtez-vous cela? cela est-il divin? voilà ce que vous ne trouverez pas ailleurs!» Et là-dessus ses narines s'enflent, il cache avec peine sa joie et sa vanité par quelques dehors de modestie. O l'homme 10 divin, en effet! homme qu'on ne peut jamais assez louer et admirer! homme dont il sera parlé dans plusieurs siècles! que je voie sa taille et son visage pendant qu'il vit; que j'observe les traits et la contenance d'un homme qui seul entre les mortels possède une telle prune!

15 Un troisième, que vous allez voir, vous parle des curieux, ses confrères, et surtout de *Diognète:* «Je l'admire, dit-il, et je le comprends moins que jamais. Pensez-vous qu'il cherche à s'instruire par les médailles, et qu'il les regarde comme des preuves parlantes de certains faits, 20 et des monuments fixes et indubitables de l'ancienne histoire? rien moins. Vous croyez peut-être que toute la peine qu'il se donne pour recouvrer une *tête* vient du plaisir qu'il se fait de ne voir pas une suite d'empereurs interrompue? c'est encore moins. Diognète sait d'une 25 médaille le *fruste*, le *flou* et la *fleur de coin;*[1] il a une tablette dont toutes les places sont garnies, à l'exception d'une seule: ce vide lui blesse la vue, et c'est précisément et à la lettre pour le remplir qu'il emploie son bien et sa vie.

30 «Vous voulez, ajoute *Démocède*, voir mes estampes?» et bientôt il les étale et vous les montre. Vous en rencontrez une qui n'est ni noire, ni nette, ni dessinée, et

d'ailleurs moins propre à être gardée dans un cabinet qu'à tapisser, un jour de fête, le Petit-Pont[1] ou la rue Neuve;[2] il convient qu'elle est mal gravée, plus mal dessinée; mais il assure qu'elle est d'un Italien qui a travaillé peu, qu'elle n'a presque pas été tirée, que c'est la 5 seule qui soit en France de ce dessin, qu'il l'a achetée très cher, et qu'il ne la changerait pas pour ce qu'il a de meilleur. « J'ai, continue-t-il, une sensible affliction, et qui m'obligera à renoncer aux estampes pour le reste de mes jours: j'ai tout *Callot*,[3] hormis une seule, qui n'est 10 pas, à la vérité, de ses bons ouvrages; au contraire, c'est un des moindres, mais qui m'achèverait Callot; je travaille depuis vingt ans à recouvrer cette estampe, et je désespère enfin d'y réussir; cela est bien rude! »

Tel autre fait la satire de ces gens qui s'engagent par 15 inquiétude ou par curiosité dans de longs voyages; qui ne font ni mémoires ni relations; qui ne portent point de tablettes; qui vont pour voir, et qui ne voient pas, ou qui oublient ce qu'ils ont vu; qui désirent seulement de connaître de nouvelles tours ou de nouveaux clochers, 20 et de passer des rivières qu'on n'appelle ni la Seine ni la Loire; qui sortent de leur patrie pour y retourner, qui aiment à être absents, qui veulent un jour être revenus de loin: et ce satirique parle juste, et se fait écouter.

Mais quand il ajoute que les livres en apprennent plus 25 que les voyages, et qu'il m'a fait comprendre par ses discours qu'il a une bibliothèque, je souhaite de la voir: je vais trouver cet homme, qui me reçoit dans une maison où dès l'escalier je tombe en faiblesse d'une odeur de maroquin noir dont ses livres sont tous couverts. Il a 30 beau me crier aux oreilles, pour me ranimer, qu'ils sont dorés sur tranche, ornés de filets d'or, et de la bonne édition, me nommer les meilleurs l'un après l'autre, dire que sa galerie est remplie, à quelques endroits près qui sont peints de manière qu'on les prend pour de vrais livres arrangés sur des tablettes et que l'œil s'y trompe, 5 ajouter qu'il ne lit jamais, qu'il ne met pas le pied dans cette galerie, qu'il y viendra pour me faire plaisir; je le remercie de sa complaisance, et ne veux, non plus que lui, voir sa tannerie, qu'il appelle bibliothèque....

Un bourgeois aime les bâtiments; il se fait bâtir un 10 hôtel si beau, si riche et si orné, qu'il est inhabitable. Le maître, honteux de s'y loger, ne pouvant peut-être se résoudre à le louer à un prince ou à un homme d'affaires, se retire au galetas, où il achève sa vie, pendant que l'enfilade[1] et les planchers de rapport[2] sont en proie aux 15 Anglais et aux Allemands qui voyagent, et qui viennent là du Palais-Royal,[3] du palais L... G[4]... et du Luxembourg.[5] On heurte sans fin à cette belle porte; tous demandent à voir la maison, et personne à voir Monsieur.

On en sait d'autres qui ont des filles devant leurs yeux, 20 à qui ils ne peuvent pas donner une dot; que dis-je? elles ne sont pas vêtues, à peine nourries; qui se refusent un tour de lit[6] et du linge blanc; qui sont pauvres; et la source de leur misère n'est pas fort loin: c'est un garde-meuble chargé et embarrassé de bustes rares, déjà pou-25 dreux et couverts d'ordures, dont la vente les mettrait au large, mais qu'ils ne peuvent se résoudre à mettre en vente.

Diphile commence par un oiseau et finit par mille: sa maison n'en est pas égayée, mais empestée. La cour, la 30 salle, l'escalier, le vestibule, les chambres, le cabinet, tout est volière. Ce n'est plus un ramage, c'est un vacarme: les vents d'automne et les eaux dans leurs plus grandes crues ne font pas un bruit si perçant et si aigu; on ne s'entend non plus parler les uns les autres que dans ces chambres où il faut attendre, pour faire le compliment d'entrée, que les petits chiens aient aboyé. Ce n'est plus pour Diphile un agréable amusement, c'est une affaire 5 laborieuse, et à laquelle à peine il peut suffire. Il passe les jours, ces jours qui échappent et qui ne reviennent plus, à verser du grain et à nettoyer des ordures. Il donne pension à un homme qui n'a point d'autre ministère que de siffler des serins au flageolet et de faire couver 10 des *Canaries*. Il est vrai que ce qu'il dépense d'un côté, il l'épargne de l'autre, car ses enfants sont sans maîtres et sans éducation. Il se renferme le soir, fatigué de son propre plaisir, sans pouvoir jouir du moindre repos que ses oiseaux ne reposent, et que ce petit peuple, qu'il 15 n'aime que parce qu'il chante, ne cesse de chanter. Il retrouve ses oiseaux dans son sommeil: lui-même il est oiseau, il est huppé, il gazouille, il perche; il rêve la nuit qu'il mue ou qu'il couve.

Qui pourrait épuiser tous les différents genres de 20 curieux? Devineriez-vous, à entendre parler celui-ci de son *Léopard*, de sa *Plume*, de sa *Musique*, les vanter comme ce qu'il y a sur la terre de plus singulier et de plus merveilleux, qu'il veut vendre ses coquilles? Pourquoi non, s'il les achète au poids de l'or? 25

Cet autre aime les insectes; il en fait tous les jours de nouvelles emplettes; c'est surtout le premier homme de l'Europe pour les papillons: il en a de toutes les tailles et de toutes les couleurs. Quel temps prenez-vous pour lui rendre visite? il est plongé dans une amère douleur; 30 il a l'humeur noire, chagrine, et dont toute la famille souffre: aussi a-t-il fait une perte irréparable. Approchez, regardez ce qu'il vous montre sur son doigt, qui n'a plus de vie et qui vient d'expirer: c'est une chenille, et quelle chenille!

3. Le duel est le triomphe de la mode, et l'endroit où
5 elle a exercé sa tyrannie avec plus d'éclat.[1] Cet usage n'a pas laissé au poltron la liberté de vivre: il l'a mené se faire tuer par un plus brave que soi, et l'a confondu avec un homme de cœur; il a attaché de l'honneur et de la gloire à une action folle et extravagante; il a été ap-
10 prouvé par la présence des rois; il y a eu quelquefois une espèce de religion à le pratiquer; il a décidé de l'innocence[2] des hommes, des accusations fausses ou véritables sur des crimes capitaux; il s'était enfin si profondément enraciné dans l'opinion des peuples, et s'était si fort saisi
15 de leur cœur et de leur esprit, qu'un des plus beaux endroits de la vie d'un très grand roi[3] a été de les guérir de cette folie.

6. Si vous dites aux hommes, et surtout aux grands, qu'un tel a de la vertu, ils vous disent: «Qu'il la garde;»
20 qu'il a bien de l'esprit, de celui surtout qui plaît et qui amuse, ils vous répondent: «Tant mieux pour lui;» qu'il a l'esprit fort cultivé, qu'il sait beaucoup, ils vous demandent quelle heure il est ou quel temps il fait. Mais si vous leur apprenez qu'il y a un *Tigillin*[4] qui *souffle* ou
25 qui *jette en sable*[5] un verre d'eau-de-vie, et, chose merveilleuse! qui y revient à plusieurs fois en un repas, alors ils disent: «Où est-il? amenez-le-moi demain, ce soir; me l'amènerez-vous?» On le leur amène; et cet homme, propre à parer les avenues d'une foire et à être montré
30 en chambre pour de l'argent, ils l'admettent dans leur familiarité.

7. Il n'y a rien qui mette plus subitement un homme

à la mode et qui le soulève[1] davantage que le grand jeu: cela va du pair avec la crapule. Je voudrais bien voir un homme poli, enjoué, spirituel, fût-il un CATULLE[2] ou son disciple, faire quelque comparaison avec celui qui vient de perdre huit cents pistoles en une séance. 5

10. VOITURE et SARRASIN[3] étaient nés pour leur siècle, et ils ont paru dans un temps où il semble qu'ils étaient attendus. S'ils s'étaient moins pressés de venir, ils arrivaient trop tard; et j'ose douter qu'ils fussent tels aujourd'hui qu'ils ont été alors. Les conversations lé- 10 gères, les cercles, la fine plaisanterie, les lettres enjouées et familières, les petites parties[4] où l'on était admis seulement avec de l'esprit, tout a disparu. Et qu'on ne dise point qu'ils les feraient revivre: ce que je puis faire en faveur de leur esprit est de convenir que peut-être ils 15 excelleraient dans un autre genre; mais les femmes sont, de nos jours, ou dévotes, ou coquettes, ou joueuses ou ambitieuses, quelques-unes même tout cela à la fois: le goût de la faveur, le jeu, les galants, les directeurs,[5] ont pris la place, et la défendent contre les gens d'esprit. 20

11. Un homme fat et ridicule porte un long chapeau, un pourpoint à ailerons,[6] des chausses à aiguillettes[7] et des bottines; il rêve la veille par où et comment il pourra se faire remarquer le jour qui suit. Un philosophe se laisse habiller par son tailleur: il y a autant de faiblesse 25 à fuir la mode qu'à l'affecter.

15. ... Une mode à peine détruit une autre mode qu'elle est abolie par une plus nouvelle, qui cède elle-même à celle qui la suit, et qui ne sera pas la dernière: telle est notre légèreté. Pendant ces révolutions un 30 siècle s'est écoulé qui a mis toutes ces parures au rang des choses passées et qui ne sont plus. La mode alors

la plus curieuse et qui fait plus de[1] plaisir à voir, c'est la plus ancienne: aidée du temps et des années, elle a le même agrément dans les portraits qu'a la saye[2] ou l'habit romain sur les théâtres, qu'ont la mante, le voile et la
5 tiare[3] dans nos tapisseries et dans nos peintures.

Nos pères nous ont transmis, avec la connaissance de leurs personnes, celle de leurs habits, de leurs coiffures, de leurs armes,[4] et des autres ornements qu'ils ont aimés pendant leur vie. Nous ne saurions bien reconnaître
10 cette sorte de bienfait qu'en traitant de même nos descendants.

16. Le courtisan autrefois avait ses cheveux, était en chausses et en pourpoint, portait de larges canons, et il était libertin. Cela ne sied plus; il porte une perruque,
15 l'habit serré, le bas uni, et il est dévot: tout se règle par la mode.

19. Les couleurs sont préparées, et la toile est toute prête; mais comment le fixer, cet homme inquiet, léger, inconstant, qui change de mille et mille figures? Je le
20 peins dévot, et je crois l'avoir attrapé; mais il m'échappe, et déjà il est libertin. Qu'il demeure du moins dans cette mauvaise situation, et je saurai le prendre dans un point de dérèglement de cœur et d'esprit où il sera reconnaissable; mais la mode presse, il est dévot.

25 25. Riez, *Zélie*, soyez badine et folâtre à votre ordinaire; qu'est devenue votre joie? «Je suis riche, dites-vous, me voilà au large, et je commence à respirer.» Riez plus haut, Zélie, éclatez: que sert une meilleure fortune, si elle amène avec soi le sérieux et la tristesse?
30 Imitez les grands qui sont nés dans le sein de l'opulence: ils rient quelquefois, ils cèdent à leur tempérament, suivez le vôtre; ne faites pas dire de vous qu'une nouvelle place

ou que quelques mille livres de rente de plus ou de moins vous font passer d'une extrémité à l'autre. « Je tiens, dites-vous, à la faveur par un endroit. » Je m'en doutais, Zélie; mais croyez-moi, ne laissez pas de rire, et même de me sourire en passant, comme autrefois: ne craignez 5 rien, je n'en serai ni plus libre ni plus familier avec vous; je n'aurai pas une moindre opinion de vous et de votre poste; je croirai également que vous êtes riche et en faveur. « Je suis dévote », ajoutez-vous. C'est assez, Zélie, et je dois me souvenir que ce n'est plus la sérénité et la 10 joie que le sentiment d'une bonne conscience étale sur le visage; les passions tristes et austères ont pris le dessus et se répandent sur les dehors: elles mènent plus loin, et l'on ne s'étonne plus de voir que la dévotion[1] sache encore mieux que la beauté et la jeunesse rendre une femme fière 15 et dédaigneuse.

26. L'on a été loin depuis un siècle dans les arts et dans les sciences, qui toutes ont été poussées à un grand point de raffinement, jusques à celle du salut, que l'on a réduite en règle et en méthode, et augmentée de tout ce 20 que l'esprit des hommes pouvait inventer de plus beau et de plus sublime. La dévotion et la géométrie ont leurs façons de parler, ou ce qu'on appelle les termes de l'art: celui qui ne les sait pas n'est ni dévot ni géomètre. Les premiers dévots, ceux mêmes qui ont été dirigés par 25 les Apôtres, ignoraient ces termes, simples gens qui n'avaient que la foi et les œuvres, et qui se réduisaient à croire et à bien vivre.

31. Chaque heure, en soi comme à notre égard, est unique: est-elle écoulée une fois, elle a péri entièrement; 30 les millions de siècles ne la ramèneront pas. Les jours, les mois, les années s'enfoncent et se perdent sans retour

dans l'abîme des temps. Le temps même sera détruit: ce n'est qu'un point dans les espaces immenses de l'éternité, et il sera effacé. Il y a des légères et frivoles circonstances du temps qui ne sont point stables, qui
5 passent, et que j'appelle des modes, la grandeur, la faveur, les richesses, la puissance, l'autorité, l'indépendance, le plaisir, les joies, la superfluité. Que deviendront ces modes quand le temps même aura disparu? La vertu seule, si peu à la mode, va au delà des temps.

DE QUELQUES USAGES

10 2. Tel abandonne son père qui est connu, et dont l'on cite le greffe ou la boutique, pour se retrancher sur son aïeul, qui, mort depuis longtemps, est inconnu et hors de prise. Il montre ensuite un gros revenu, une grande charge, de belles alliances; et, pour être noble, il ne lui
15 manque que des titres.

6. Il suffit de n'être point né dans une ville, mais sous une chaumière répandue dans la campagne, ou sous une ruine qui trempe dans un marécage et qu'on appelle château, pour être cru noble sur sa parole.

20 9. Certaines gens portent trois noms, de peur d'en manquer: ils en ont pour la campagne et pour la ville, pour les lieux de leur service ou de leur emploi. D'autres ont un seul nom dissyllabe, qu'ils anoblissent par des particules, dès que leur fortune devient meilleure.
25 Celui-ci, par la suppression d'une syllabe, fait de son nom obscur un nom illustre; celui-là, par le changement d'une lettre en une autre, se travestit, et de *Syrus* devient *Cyrus*. Plusieurs suppriment leurs noms, qu'ils pourraient conserver sans honte, pour en adopter de
30 plus beaux, où ils n'ont qu'à perdre par la comparaison

que l'on fait toujours d'eux qui les portent avec les grands hommes qui les ont portés. Il s'en trouve enfin qui, nés à l'ombre des clochers de Paris, veulent être Flamands[1] ou Italiens, comme si la roture n'était pas de tout pays, allongent leurs noms français d'une terminaison étrangère, et croient que venir de bon lieu c'est venir de loin.

10. Le besoin d'argent a réconcilié la noblesse avec la roture, et a fait évanouir la preuve des quatre quartiers.[2]

13. Il n'y a rien à perdre à être noble ; franchises, immunités, exemptions, privilèges, que manque-t-il à ceux qui ont un titre ? Croyez-vous que ce soit pour la noblesse que des solitaires[3] se sont faits nobles ? Ils ne sont pas si vains : c'est pour le profit qu'ils en reçoivent. Cela ne leur sied-il pas mieux que d'entrer dans les gabelles ?[4] Je ne dis pas à chacun en particulier, leurs vœux s'y opposent, je dis même à la communauté.

21. Quelle idée plus bizarre que de se représenter une foule de chrétiens de l'un et de l'autre sexe, qui se rassemblent à certains jours dans une salle pour y applaudir à[5] une troupe d'excommuniés, qui ne le sont que par le plaisir qu'ils leur donnent, et qui est déjà payé d'avance ? Il me semble qu'il faudrait ou fermer les théâtres, ou prononcer moins sévèrement sur l'état des comédiens.

33. Faire une folie et se marier *par amourette*, c'est épouser *Mélite*, qui est jeune, belle, sage, économe, qui plaît, qui vous aime, qui a moins de bien qu'*Ægine*, qu'on vous propose, et qui, avec une riche dot, apporte de riches dispositions à la consumer, et tout votre fonds avec sa dot.

34. Il était délicat[6] autrefois de se marier ; c'était un

long établissement, une affaire sérieuse, et qui méritait qu'on y pensât : l'on était pendant toute sa vie le mari de sa femme, bonne ou mauvaise : même table, même demeure, même lit ; l'on n'en était point quitte pour 5 une pension ; avec des enfants et un ménage complet, l'on n'avait pas les apparences et les délices du célibat.

42. L'on applaudit à la coutume qui s'est introduite dans les tribunaux d'interrompre les avocats au milieu de leur action,[1] de les empêcher d'être éloquents et d'avoir 10 de l'esprit, de les ramener au fait et aux preuves toutes sèches qui établissent leurs causes et le droit de leurs parties ; et cette pratique si sévère, qui laisse aux orateurs le regret de n'avoir pas prononcé les plus beaux traits de leurs discours, qui bannit l'éloquence du seul 15 endroit où elle est en sa place, et va faire du Parlement une muette juridiction, on l'autorise par une raison solide et sans réplique, qui est celle de l'expédition : il est seulement à désirer qu'elle fût moins oubliée en toute autre rencontre, qu'elle réglât au contraire les bureaux 20 comme les audiences, et qu'on cherchât une fin aux écritures,[2] comme on a fait aux plaidoyers.

43. Le devoir des juges est de rendre la justice ; leur métier, de la différer. Quelques-uns savent leur devoir, et font leur métier.

25 45. Il se trouve des juges auprès de qui la faveur, l'autorité, les droits de l'amitié et de l'alliance, nuisent à une bonne cause, et qu'une trop grande affectation de passer pour incorruptibles expose à être injustes.[3]

49. La principale partie de l'orateur, c'est la probité : 30 sans elle il dégénère en déclamateur, il déguise ou il exagère les faits, il cite faux, il calomnie, il épouse la passion et les haines de ceux pour qui il parle ; et il est

de la classe de ces avocats dont le proverbe dit qu'ils sont payés pour dire des injures.

53. Si l'on me racontait qu'il s'est trouvé autrefois un prévôt, ou l'un de ces magistrats créés pour poursuivre les voleurs et les exterminer, qui les connaissait tous depuis longtemps de nom et de visage, savait leurs vols, j'entends l'espèce, le nombre et la quantité, pénétrait si avant dans toutes ces profondeurs, et était si initié dans tous ces affreux mystères, qu'il sût rendre à un homme de crédit un bijou qu'on lui avait pris dans la foule au sortir d'une assemblée, et dont[1] il était sur le point de faire de l'éclat, que le Parlement intervint dans cette affaire, et fit le procès à cet officier, je regarderais cet événement comme l'une de ces choses dont l'histoire se charge, et à qui le temps ôte la croyance : comment donc pourrais-je croire qu'on doive présumer, par des faits récents, connus et circonstanciés, qu'une connivence si pernicieuse dure encore, qu'elle ait même tourné en jeu et passé en coutume ?

58. S'il n'y avait point de testaments pour régler le droit des héritiers, je ne sais si l'on aurait besoin de tribunaux pour régler les différends des hommes ; les juges seraient presque réduits à la triste fonction d'envoyer au gibet les voleurs et les incendiaires. Qui voit-on dans les lanternes[2] des chambres, au parquet, à la porte ou dans la salle du magistrat ? des héritiers *ab intestat ?*[3] Non, les lois ont pourvu à leurs partages. On y voit les testamentaires qui plaident en explication d'une clause ou d'un article, les personnes exhérédées, ceux qui se plaignent d'un testament fait avec loisir, avec maturité, par un homme grave, habile, consciencieux, et qui a été aidé d'un bon conseil ; d'un acte où

le praticien n'a rien *obmis*[1] de son jargon et de ses finesses ordinaires; il est signé du testateur et des témoins publics, il est parafé; et c'est en cet état qu'il est cassé et déclaré nul.

5 59. *Titius* assiste à la lecture d'un testament avec des yeux rouges et humides, et le cœur serré de la perte de celui dont il espère recueillir la succession. Un article lui donne la charge,[2] un autre les rentes de la ville,[3] un troisième le rend maître d'une terre à la campagne; il y 10 a une clause qui, bien entendue, lui accorde une maison située au milieu de Paris, comme elle se trouve, et avec les meubles: son affliction augmente, les larmes lui coulent des yeux. Le moyen de les contenir? il se voit officier,[4] logé aux champs et à la ville, meublé de même; 15 il se voit une bonne table et un carrosse: *y avait-il au monde un plus honnête homme que le défunt, un meilleur homme?* Il y a un codicile, il faut le lire: il fait *Maevius* légataire universel, et il renvoie Titius dans son faubourg, sans rentes, sans titre, et le met à pied. Il essuie 20 ses larmes: c'est à Maevius à s'affliger.

65. Il y a déjà longtemps que l'on improuve les médecins et que l'on s'en sert; le théâtre et la satire ne touchent point à leurs pensions; ils dotent leurs filles, placent leurs fils aux parlements[5] et dans la prélature, 25 et les railleurs eux-mêmes fournissent l'argent. Ceux qui se portent bien deviennent malades; il leur faut des gens dont le métier soit de les assurer qu'ils ne mourront point. Tant que les hommes pourront mourir, et qu'ils aimeront à vivre, le médecin sera raillé et bien payé.

30 70. Que penser de la magie et du sortilège? La théorie en est obscure, les principes vagues, incertains, et qui approchent du visionnaire. Mais il y a des faits embar-

rassants, affirmés par des hommes graves qui les ont vus, ou qui les ont appris de personnes qui leur ressemblent: les admettre tous ou les nier tous paraît un égal inconvénient; et j'ose dire qu'en cela, comme dans toutes les choses extraordinaires et qui sortent des communes règles, il y a un parti à trouver entre les âmes crédules et les esprits forts.

71. L'on ne peut guère[1] charger l'enfance de la connaissance de trop de langues, et il me semble que l'on devrait mettre toute son application à l'en instruire; elles sont utiles à toutes les conditions des hommes, et elles leur ouvrent également l'entrée ou à une profonde ou à une facile et agréable érudition. Si l'on remet cette étude si pénible à un âge un peu plus avancé, et qu'on appelle la jeunesse, ou l'on n'a pas la force de l'embrasser par choix, ou l'on n'a pas celle d'y persévérer; et si l'on y persévère, c'est consumer à la recherche des langues le même temps qui est consacré à l'usage que l'on en doit faire; c'est borner à la science des mots un âge qui veut déjà aller plus loin, et qui demande des choses; c'est au moins avoir perdu les premières et les plus belles années de sa vie. Un si grand fonds ne se peut bien faire que lorsque tout s'imprime dans l'âme naturellement et profondément; que la mémoire est neuve, prompte et fidèle; que l'esprit et le cœur sont encore vides de passions, de soins et de désirs, et que l'on est déterminé à de longs travaux par ceux de qui l'on dépend. Je suis persuadé que le petit nombre d'habiles, ou le grand nombre de gens superficiels, vient de l'oubli de cette pratique.

72. L'étude des textes ne peut jamais être assez recommandée; c'est le chemin le plus court, le plus sûr et le

plus agréable pour tout genre d'érudition. Ayez les choses de la première main; puisez à la source; maniez, remaniez le texte, apprenez-le de mémoire, citez-le dans les occasions; songez surtout à en pénétrer le sens dans
5 toute son étendue et dans ses circonstances; conciliez un auteur original, ajustez[1] ses principes, tirez vous-même les conclusions. Les premiers commentateurs se sont trouvés dans le cas où je désire que vous soyez: n'empruntez leurs lumières et ne suivez leurs vues qu'où les
10 vôtres seraient trop courtes; leurs explications ne sont pas à vous, et peuvent aisément vous échapper; vos observations, au contraire, naissent de votre esprit, et y demeurent: vous les retrouvez plus ordinairement dans la conversation, dans la consultation et dans la dispute.
15 Ayez le plaisir de voir que vous n'êtes arrêté dans la lecture que par les difficultés qui sont invincibles, où les commentateurs et les scoliastes eux-mêmes demeurent court, si fertiles d'ailleurs, si abondants et si chargés d'une vaine et fastueuse érudition dans les endroits clairs,
20 et qui ne font de peine ni à eux ni aux autres. Achevez ainsi de vous convaincre, par cette méthode d'étudier, que c'est la paresse des hommes qui a encouragé le pédantisme à grossir plutôt qu'à enrichir les bibliothèques, à faire périr le texte sous le poids des commen-
25 taires; et qu'elle a en cela agi contre soi-même et contre ses plus chers intérêts, en multipliant les lectures, les recherches et le travail, qu'elle cherchait à éviter.

73. Qui[2] règle les hommes dans leur manière de vivre et d'user des aliments? La santé et le régime? Cela est
30 douteux. Une nation entière mange les viandes après les fruits, une autre fait tout le contraire; quelques-uns commencent leurs repas par de certains fruits, et les

finissent par d'autres; est-ce raison? est-ce usage? Est-ce par un soin de leur santé que les hommes s'habillent jusqu'au menton, portent des fraises et des collets,[1] eux qui ont eu si longtemps la poitrine découverte?[2] Est-ce par bienséance, surtout dans un temps où ils avaient 5 trouvé le secret de paraître nus tout habillés?[3] Et d'ailleurs, les femmes, qui montrent leur gorge et leurs épaules, sont-elles d'une complexion moins délicate que les hommes, ou moins sujettes qu'eux aux bienséances?....

Si nos ancêtres ont mieux écrit[4] que nous, ou si nous 10 l'emportons sur eux par le choix des mots, par le tour et l'expression, par la clarté et la brièveté du discours, c'est une question souvent agitée, toujours indécise. On ne la terminera point en comparant, comme l'on fait quelquefois, un froid écrivain de l'autre siècle aux plus 15 célèbres de celui-ci, ou les vers de Laurent,[5] payé pour ne plus écrire, à ceux de MAROT, et de DESPORTES.[6] Il faudrait, pour prononcer juste sur cette matière, opposer siècle à siècle, et excellent ouvrage à excellent ouvrage, par exemple les meilleurs rondeaux de BENSERADE[7] ou de 20 VOITURE à ces deux-ci, qu'une tradition nous a conservés, sans nous en marquer le temps ni l'auteur:[8]

Bien à propos s'en vint Ogier[9] en France
Pour le païs de mescréans monder:
Jà n'est besoin de conter sa vaillance, 25
Puisqu'ennemis n'osaient le regarder.

Or, quand il eut tout mis en assurance,
De voyager il voulut s'enharder;
En Paradis trouva l'eau de jouvence,
Dont il se sceut[10] de vieillesse engarder 30
Bien à propos.

Puis par cette eau son corps tout décrépite
Transmué fut par manière subite
En jeune gars, frais, gracieux et droit.

Grand dommage est que ceci soit sornettes:
5 Filles connais qui ne sont pas jeunettes
A qui cette eau de jouvence viendrait
Bien à propos.

De cettuy[1] preux maints grands clercs ont écrit
Qu'oncques dangier n'étonna son courage:
10 Abusé fut par le malin esprit,
Qu'il épousa sous féminin visage.

Si piteux cas à la fin découvrit,
Sans un seul brin de peur ni de dommage,
Dont grand renom par tout le monde acquit,
15 Si qu'on tenait très honneste langage
De cettuy preux.

Bien-tost après fille de roy s'éprit
De son amour, qui volentiers s'offrit
Au bon Richard[2] en second mariage.

20 Donc, s'il vaut mieux ou diable ou femme avoir,
Et qui des deux bruit plus en ménage,
Ceulx qui voudront, si le pourront sçavoir
De cettuy preux.

DE LA CHAIRE

1. Le discours chrétien est devenu un spectacle.
25 Cette tristesse évangélique[3] qui en est l'âme ne s'y remarque plus: elle est suppléée par les avantages de la mine, par les inflexions de la voix, par la régularité du

geste, par le choix des mots, et par les longues énumérations. On n'écoute plus sérieusement la parole sainte : c'est une sorte d'amusement entre mille autres, c'est un jeu où il y a de l'émulation et des parieurs.

2. L'éloquence profane est transposée pour ainsi dire du barreau, où LE MAÎTRE, PUCELLE et FOURCROY[1] l'ont fait régner, et où elle n'est plus d'usage, à la chaire, où elle ne doit pas être.

L'on fait assaut d'éloquence jusqu'au pied de l'autel et en la présence des mystères. Celui qui écoute s'établit juge de celui qui prêche, pour condamner ou pour applaudir, et n'est pas plus converti par le discours qu'il favorise que par celui auquel il est contraire. L'orateur plaît aux uns, déplaît aux autres, et convient avec tous en une chose, que, comme il ne cherche point à les rendre meilleurs, ils ne pensent pas aussi à le devenir.

Un apprentif[2] est docile, il écoute son maître, il profite de ses leçons, et il devient maître. L'homme indocile critique le discours du prédicateur, comme le livre du philosophe ; et il ne devient ni chrétien ni raisonnable.

3. Jusqu'à ce qu'il revienne un homme qui, avec un style nourri des saintes Écritures, explique au peuple la parole divine uniment[3] et familièrement, les orateurs et les déclamateurs seront suivis.

4. Les citations profanes, les froides allusions, le mauvais pathétique, les antithèses, les figures outrées, ont fini : les portraits finiront, et feront place à une simple explication de l'Évangile, jointe aux mouvements qui inspirent la conversion.

6. Il y a moins d'un siècle qu'un livre français était un certain nombre de pages latines, où l'on découvrait quelques lignes ou quelques mots en notre langue. Les

passages, les traits et les citations n'en étaient pas demeuré[1] là : Ovide et Catulle achevaient de décider des mariages et des testaments, et venaient avec les *Pandectes*[2] au secours de la veuve et des pupilles. Le sacré et le
5 profane ne se quittaient point ; ils s'étaient glissés ensemble jusque dans la chaire ; saint Cyrille,[3] Horace, saint Cyprien,[4] Lucrèce,[5] parlaient alternativement : les poètes étaient de l'avis de saint Augustin[6] et de tous les Pères ; on parlait latin, et longtemps, devant des fem-
10 mes et des marguilliers ; on a parlé grec. Il fallait savoir prodigieusement pour prêcher si mal. Autre temps, autre usage : le texte est encore latin, tout le discours est français, et d'un beau français ; l'Évangile même n'est pas cité. Il faut savoir aujourd'hui très peu
15 de chose pour bien prêcher.

7. L'on a enfin banni la scolastique[7] de toutes les chaires des grandes villes, et on l'a reléguée dans les bourgs et dans les villages pour l'instruction et pour le salut du laboureur ou du vigneron.

20 9. L'orateur fait de si belles images de certains désordres, y fait entrer des circonstances si délicates, met tant d'esprit, de tour et de raffinement dans celui qui pèche, que, si je n'ai pas de pente à vouloir ressembler à ses portraits, j'ai besoin du moins que quelque apôtre,
25 avec un style plus chrétien, me dégoûte des vices dont l'on m'avait fait une peinture si agréable.

15. Le métier de la parole ressemble en une chose à celui de la guerre : il y a plus de risque qu'ailleurs, mais la fortune y est plus rapide.

30 20. Devrait-il suffire d'avoir été grand et puissant dans le monde pour être louable ou non, et devant le saint autel et dans la chaire de la vérité, loué et célébré

à ses funérailles? N'y a-t-il point d'autre grandeur que celle qui vient de l'autorité et de la naissance? Pourquoi n'est-il pas établi de faire publiquement le panégyrique d'un homme qui a excellé pendant sa vie dans la bonté, dans l'équité, dans la douceur, dans la fidélité, 5 dans la piété? Ce qu'on appelle une oraison funèbre n'est aujourd'hui bien reçue[1] du plus grand nombre des auditeurs qu'à mesure qu'elle s'éloigne davantage du discours chrétien, ou si vous l'aimez mieux ainsi, qu'elle approche de plus près d'un éloge profane. 10

23. Tel, tout d'un coup, et sans y avoir pensé la veille, prend du papier, une plume, dit en soi-même: «Je vais faire un livre,» sans autre talent pour écrire que le besoin qu'il a de cinquante pistoles. Je lui crie inutilement: «Prenez une scie, *Dioscore*, sciez, ou bien 15 tournez, ou faites une jante de roue; vous aurez votre salaire.» Il n'a point fait l'apprentissage de tous ces métiers. «Copiez donc, transcrivez, soyez au plus correcteur d'imprimerie, n'écrivez point.» Il veut écrire et faire imprimer; et parce qu'on n'envoie pas à l'impri- 20 meur un cahier blanc, il le barbouille de ce qui lui plaît: il écrirait volontiers que la Seine coule à Paris, qu'il y a sept jours dans la semaine, ou que le temps est à la pluie, et comme ce discours n'est ni contre la religion ni contre l'État, et qu'il ne fera point d'autre désordre dans le 25 public que de lui gâter le goût et l'accoutumer aux choses fades et insipides, il passe à l'examen,[2] il est imprimé, et, à la honte du siècle, comme pour l'humiliation des bons auteurs, réimprimé. De même, un homme dit en son cœur: «Je prêcherai», et il prêche; le voilà en chaire, 30 sans autre talent ni vocation que le besoin d'un bénéfice.

25. L'. DE MEAUX[3] ou le P. BOURDALOUE[4] me rappel-

lent DÉMOSTHÈNE et CICÉRON. Tous deux, maîtres dans l'éloquence de la chaire, ont eu le destin des grands modèles : l'un a fait de mauvais censeurs, l'autre de mauvais copistes.

5 27. Quel avantage n'a pas un discours prononcé sur un ouvrage qui est écrit! Les hommes sont les dupes de l'action et de la parole, comme de tout l'appareil de l'auditoire. Pour peu de prévention qu'ils aient en faveur de celui qui parle, ils l'admirent, et cherchent en-
10 suite à le comprendre: avant qu'il ait commencé, ils s'écrient qu'il va bien faire; ils s'endorment bientôt, et, le discours fini, ils se réveillent pour dire qu'il a bien fait. On se passionne moins pour un auteur: son ouvrage est lu dans le loisir de la campagne, ou dans le
15 silence du cabinet; il n'y a point de rendez-vous publics pour lui applaudir, encore moins de cabale pour lui sacrifier tous ses rivaux, et pour l'élever à la prélature. On lit son livre, quelque excellent qu'il soit, dans l'esprit de le trouver médiocre; on le feuillette, on le discute,
20 on le confronte; ce ne sont pas des sons qui se perdent en l'air et qui s'oublient; ce qui est imprimé demeure imprimé. On l'attend quelquefois plusieurs jours avant l'impression pour le décrier; et le plaisir le plus délicat que l'on en tire vient de la critique qu'on en fait; on est
25 piqué d'y trouver à chaque page des traits qui doivent plaire, on va même souvent jusqu'à appréhender d'en être diverti, et on ne quitte ce livre que parce qu'il est bon. Tout le monde ne se donne pas pour orateur: les phrases, les figures, le don de la mémoire, la robe ou
30 l'engagement de celui qui prêche, ne sont pas des choses qu'on ose ou qu'on veuille toujours s'approprier. Chacun au contraire croit penser bien, et écrire encore mieux ce

qu'il a pensé; il en est moins favorable à celui qui pense
et qui écrit aussi bien que lui. En un mot le *sermonneur*
est plus tôt évêque que le plus solide écrivain n'est revêtu
d'un prieuré simple; et dans la distribution des grâces,
de nouvelles sont accordées à celui-là, pendant que 5
l'auteur grave se tient heureux d'avoir ses restes.

DES ESPRITS FORTS

1. Les esprits forts savent-ils qu'on les appelle ainsi par
ironie? Quelle plus grande faiblesse que d'être incertains
quel est le principe de son être, de sa vie, de ses sens,
de ses connaissances, et quelle en doit être la fin? Quel 10
découragement plus grand que de douter si son âme
n'est point matière comme la pierre et le reptile, et si
elle n'est point corruptible comme ces viles créatures?
N'y a-t-il pas plus de force et de grandeur à recevoir
dans notre esprit l'idée d'un être supérieur à tous les 15
êtres, qui les a tous faits, et à qui tous se doivent rapporter; d'un être souverainement parfait, qui est pur,
qui n'a point commencé et qui ne peut finir, dont notre
âme est l'image, et, si j'ose dire, une portion, comme
esprit et comme immortelle? 20

10. J'exigerais de ceux qui vont contre le train commun et les grandes règles, qu'ils sussent plus que les
autres, qu'ils eussent des raisons claires, et de ces argu-
ments qui emportent conviction.

16. L'athéisme n'est point. Les grands qui en sont 25
le plus soupçonnés, sont trop paresseux pour décider en
leur esprit que Dieu n'est pas: leur indolence va jusqu'à
les rendre froids et indifférents sur cet article si capital,
comme sur la nature de leur âme, et sur les conséquences

d'une vraie religion; ils ne nient ces choses ni ne les accordent: ils n'y pensent point.

17. Nous n'avons pas trop de toute notre santé, de toutes nos forces, et de tout notre esprit, pour penser 5 aux hommes ou au plus petit intérêt: il semble, au contraire, que la bienséance et la coutume exigent de nous que nous ne pensions à Dieu que dans un état où il ne reste en nous qu'autant de raison qu'il faut pour ne pas dire qu'il n'y en a plus.

10 19. Les hommes sont-ils assez bons, assez fidèles, assez équitables, pour mériter toute notre confiance, et ne nous pas faire désirer du moins que Dieu existât, à qui nous pussions appeler de leurs jugements et avoir recours quand nous en sommes persécutés ou trahis?

15 22. L'homme est né menteur. La vérité est simple et ingénue, et il veut du spécieux et de l'ornement. Elle n'est pas à lui, elle vient du ciel toute faite, pour ainsi dire, et dans toute sa perfection; et l'homme n'aime que son propre ouvrage, la fiction et la fable. Voyez le 20 peuple: il controuve, il augmente, il charge par grossièreté et par sottise; demandez même au plus honnête homme s'il est toujours vrai dans ses discours, s'il ne se surprend pas quelquefois dans des déguisements où engagent nécessairement la vanité et la légèreté, si, pour 25 faire un meilleur conte, il ne lui échappe pas souvent d'ajouter à un fait qu'il récite une circonstance qui y manque. Une chose arrive aujourd'hui, et presque sous nos yeux; cent personnes qui l'ont vue la racontent en cent façons différentes; celui-ci, s'il est écouté, la dira 30 encore d'une manière qui n'a pas été dite. Quelle créance donc pourrais-je donner à des faits qui sont anciens et éloignés de nous par plusieurs siècles? quel fondement

dois-je faire sur les plus graves historiens? que devient l'histoire? César a-t-il été massacré au milieu du sénat? y a-t-il eu un César? «Quelle conséquence! me dites-vous; quels doutes! quelle demande!» Vous riez, vous ne me jugez pas digne d'aucune réponse; et je crois même que vous avez raison. Je suppose néanmoins que le livre qui fait mention de César ne soit pas un livre profane, écrit de la main des hommes, qui sont menteurs, trouvé par hasard dans les bibliothèques parmi d'autres manuscrits qui contiennent des histoires vraies ou apocryphes; qu'au contraire il soit inspiré, saint, divin; qu'il porte en soi ces caractères; qu'il se trouve depuis près de deux mille ans dans une société nombreuse qui n'a pas permis qu'on y ait fait pendant tout ce temps la moindre altération, et qui s'est fait une religion de le conserver dans toute son intégrité; qu'il y ait même un engagement religieux et indispensable d'avoir de la foi pour tous les faits contenus dans ce volume où il est parlé de César et de sa dictature: avouez-le, *Lucile*, vous douterez alors qu'il y ait eu un César.

32. Qui a vécu un seul jour a vécu un siècle: même soleil, même terre, même monde, mêmes sensations; rien ne ressemble mieux à aujourd'hui que demain. Il y aurait quelque curiosité à mourir, c'est-à-dire à n'être plus un corps, mais à être seulement esprit. L'homme cependant, impatient de la nouveauté, n'est point curieux sur ce seul article; né inquiet et qui s'ennuie de tout, il ne s'ennuie point de vivre; il consentirait peut-être à vivre toujours. Ce qu'il voit de la mort le frappe plus violemment que ce qu'il en sait: la maladie, la douleur, le cadavre le dégoûtent de la connaissance d'un autre monde; il faut tout le sérieux de la religion pour le réduire.

35. La religion est vraie, ou elle est fausse: si elle n'est qu'une vaine fiction, voilà, si l'on veut, soixante années perdues pour l'homme de bien, pour le chartreux ou le solitaire: ils ne courent pas un autre risque. Mais 5 si elle est fondée sur la vérité même, c'est alors un épouvantable malheur pour l'homme vicieux: l'idée seule des maux qu'il se prépare me trouble l'imagination; la pensée est trop faible pour les concevoir, et les paroles trop vaines pour les exprimer. Certes, en supposant même 10 dans le monde moins de certitude qu'il ne s'en trouve en effet sur la vérité de la religion, il n'y a point pour l'homme un meilleur parti que la vertu.

43. Voyez, *Lucile*, ce morceau de terre, plus propre et plus orné que les autres terres qui lui sont contiguës: ici, 15 ce sont des compartiments mêlés d'eaux plates et d'eaux jaillissantes; là, des allées en palissade qui n'ont pas de fin, et qui vous couvrent des vents du nord; d'un côté, c'est un bois épais qui défend de tous les soleils, et d'un autre un beau point de vue; plus bas, une Yvette,[1] ou un 20 Lignon,[2] qui coulait obscurément entre les saules et les peupliers, est devenu un canal[3] qui est revêtu; ailleurs, de longues et fraîches avenues se perdent dans la campagne, et annoncent la maison, qui est entourée d'eau. Vous récrierez-vous: « Quel jeu du hasard! combien de belles 25 choses se sont rencontrées ensemble inopinément! » Non, sans doute; vous direz au contraire: « Cela est bien imaginé et bien ordonné; il règne ici un bon goût et beaucoup d'intelligence. » Je parlerai comme vous, et j'ajouterai que ce doit être la demeure de quelqu'un de 30 ces gens chez qui un NAUTRE[4] va tracer et prendre des alignements dès le jour même qu'ils sont en place. Qu'est-ce pourtant que cette pièce de terre ainsi dis-

posée, et où tout l'art d'un ouvrier habile a été employé pour l'embellir, si même toute la terre n'est qu'un atome suspendu en l'air, et si vous écoutez ce que je vais dire?[1] . . . .

47. Plusieurs millions d'années, plusieurs centaines de 5 millions d'années, en un mot tous les temps, ne sont qu'un instant, comparés à la durée de Dieu, qui est éternelle: tous les espaces du monde entier ne sont qu'un point, qu'un léger atome, comparés à son immensité. S'il est ainsi, comme je l'avance, car quelle pro- 10 portion du fini à l'infini? je demande: Qu'est-ce que le cours de la vie d'un homme? qu'est-ce qu'un grain de poussière qu'on appelle la terre? qu'est-ce qu'une petite portion de cette terre que l'homme possède et qu'il habite? — Les méchants prospèrent pendant qu'ils 15 vivent. — Quelques méchants, je l'avoue. — La vertu est opprimée et le crime impuni sur la terre. — Quelquefois, j'en conviens. — C'est une injustice. — Point du tout: il faudrait, pour tirer cette conclusion, avoir prouvé qu'absolument les méchants sont heureux, que la vertu 20 ne l'est pas, et que le crime demeure impuni; il faudrait du moins que ce peu de temps, où les bons souffrent et où les méchants prospèrent, eût une durée, et que ce que nous appelons prospérité et fortune ne fût pas une apparence fausse et une ombre vaine qui s'évanouit; que 25 cette terre, cet atome, où il paraît que la vertu et le crime rencontrent si rarement ce qui leur est dû, fût le seul endroit de la scène où se doivent passer la punition et les récompenses. . . .

Si[2] on ne goûte point ces *Caractères*, je m'en étonne; 30 et si on les goûte, je m'en étonne de même.

NOTES

The portions selected from the Preface comprise the original preface of the first three editions. The quotation from Erasmus appeared at the head of the fourth edition. Consult for the complete preface the Hachette edition, which is the ninth (1696), the last reviewed by the author.

Page 1. — 1. **Érasme,** *Erasmus* (1467–1536), the most celebrated of German humanists. The passage quoted is from one of his letters.

2. **de lui** = modern *à lui.*

3. **s'en corriger** depends on *peut*, line 7. The complete preface now proceeds to insist on the necessity of a moral purpose in literature, and disclaims any personal allusions in *Les Caractères.*

4. **l'usage des maximes,** e. g. La Rochefoucauld's.

5. **fait** = *récit.*

DES OUVRAGES DE L'ESPRIT

Page 2. — 1. **plus de sept mille ans,** the age of man as reckoned by Suidas, a Greek lexicographer, who flourished about 970.

2. **et qui,** for *qui*, an emphatic use of *et* favored by La Bruyère.

3. **pratique,** *skilled.* This magistrate is said to have been a certain Poncet de la Rivière, and the book which ruined his future, *les Considérations sur les avantages de la vieillesse dans la vie chrétienne, politique, civile, économique et solitaire* (1677, under the pseudonym of Baron de Prelle).

4. **l'ordre gothique,** etc.; the Renaissance brought back the architecture of Greece and Rome, as it did their literature. The Middle Ages with their indigenous art and literature were then regarded as barbarous, and this opinion prevailed down to the time

of Chateaubriand (see his *Génie du Christianisme*); cf. page 41, line 20.

Page 3. — 1. **le simple et le naturel!** the watchword of French literature from Malherbe to Rousseau; yet La Bruyère was the first noteworthy transgressor of the "simple and natural" style.

2. **Un auteur moderne,** etc.; allusion to the dispute over the comparative merits of ancient and modern writers, which lasted from 1670 to 1715. A direct hit at Fontenelle may be seen here, who published his *Poésies pastorales* in 1688. These were accompanied by an attack on the ancients, and a citation of his own poems as models of pastoral composition. This paragraph first appeared in 1689. See the portrait of Fontenelle (*Cydias*): "De la Société et de la Conversation," no. 75, pages 36–38.

3. **habiles,** *intelligent people,* "competent;" cf. page 2, line 5.

Page 4. — 1. **Ceux qui écrivent par humeur,** in *Caractère* 63 of this chapter this same phrase occurs, and has been explained as those who draw on themselves for their material, but here it would seem to be used in the sense of writing on the spur of the moment.

2. **un ouvrage parfait ou régulier!** a work made in accordance with the rules of the art. What relates particularly to *le Cid* seems to be a paraphrase of Boileau's well-known lines:

> "En vain contre le Cid un ministre se ligue :
> Tout Paris pour Chimène a les yeux de Rodrigue," etc.
>
> *Satire* IX, 231 ff.

3. **l'autorité et la politique,** the Academy and Richelieu.

Page 5. — 1. **et l'une des meilleures critiques,** the Academy's *Sentiments* (1638).

2. **fait de main d'ouvrier** = *fait de main de maître.*

3. **Balzac,** Jean-Louis Guez de (1597–1655), letter-writer and the most influential critic of his day.

4. **Voiture,** Vincent (1598–1648), a follower of Balzac in the art of letter-writing and the favorite poet of the Hôtel de Rambouillet.

5. **Ce sexe,** etc., Mme de Sévigné had begun her incomparable correspondence twenty years before this *Caractère.* Mme de Maintenon, Mme de La Fayette and many others had also shown great talent in the same line.

6. **Térence** (194–158 B.C.), author of Latin comedies.

7. **le jargon et le barbarisme, et d'écrire purement**; Molière's language is not so uniformly correct as the language of the other great writers of the age. *Jargon* and *barbarisme* probably have reference to the expressions of his soubrettes and the dialect of his peasants.

Page 6. — 1. **Malherbe**, François (1555–1628), critic and court poet under Henry IV and Louis XIII, the reformer of French versification; cf. no. 60.

2. **Théophile de Viau** (1590–1626), poet and dramatist, author of the pastoral drama, *Pyrame et Thisbé* (about 1621). His style, much affected by Gongorism, is quite the opposite of Malherbe's.

3. **la nature**, see page 3, note 1.

4. **feint** = *invente.*

5. **passe**, *exceeds.*

6. **Ronsard**, Pierre de (1524–1585), head of the Renaissance school and the Pléiade group of writers.

7. **Marot**, Clément (about 1495–1544), court poet under Francis I.

8. **ce premier**, now more usually *celui-là.*

9, 10. **nui — revenir**, the view of Ronsard at this time. It had been formulated by Boileau in the first book of his *Art poétique* (ll. 123–130).

11, 12, 13. **Belleau**, Remy (1528–1577), author of descriptive poems and member of the Pléiade. — **Jodelle**, Étienne (1532–1573), dramatist of the Pléiade and reviver of classical tragedy. — **Du Bartas**, Guillaume (about 1540–1590), author of a religious epic on the Creation, *la Semaine* (1579), which influenced Milton.

14. **Racan**, Honorat de Bueil, marquis de (1589–1670), poet of nature, simple and emotional.

15. **réparée**; Boileau had said of Malherbe:

> "Par ce sage écrivain la langue réparée."
> (*Art Poétique*, I, 135.)

16. **Rabelais**, François (about 1495–about 1553), the well-known author of *Pantagruel.*

Page 7. — 1. **Montagne**, Michel de Montaigne (1533–1592), the essayist.

2. **aussi bien** = modern *non plus.*

3, 4. **Amyot,** Jacques (1513–1593), translator, especially of Plutarch's *Lives*, still the favorite book for boys in France. — **Coëffeteau,** Nicolas (1574–1623), author of a now forgotten *Histoire romaine*, but a clear and correct writer.

5. **Ce n'est point assez,** etc.; the keys of the day would have this paragraph refer to the comedies of the actor Baron (Michel Boyron, 1653–1729), and the last few lines to his *Homme à bonnes fortunes* (1686) particularly. But Molière may also have been in mind ("d'un malade dans sa garde-robe"), while the question is the general one of realism versus theatrical conventions.

Page 8. — 1. **comédies,** here probably used in its wider sense of plays in general. This judgment of Corneille by a contemporary and admirer of Racine is particularly interesting.

2. **mœurs,** *customs* of the people, Romans or others, depicted by Corneille.

3. **lus,** La Bruyère wrote *lu*.

Page 9. — 1. **qui tendent,** possibly for *qu'ils tendent*, but more probably another instance of the construction seen before; cf. page 2, note 2.

2, 3. **Porus** is a character in Racine's *Alexandre*. — **Burrhus** is in Racine's *Britannicus*.

4. **Oedipe** was a success at the time, but is no longer placed beside *Horace*.

Page 10. — 1. **Euripide,** the editors call attention to the likeness that this comparison of the two great tragic poets bears to a *Parallèle de M. Corneille et de M. Racine*, written in 1686 by Hilaire-Bernard, baron de Longepierre (1659–1721), a mediocre essayist and unsuccessful playwright.

Page 11. — 1. **L'on écrit régulièrement,** etc.; this review of French literature might well have gone back ten years farther, to Pascal's *Lettres provinciales*. Notice the essential qualitities of French style, "ordre" and "netteté" (line 15).

Page 12. — 1. **exemplaires,** *models*.

2. **humeur,** *caprice*.

3. **Despréaux,** Nicolas Boileau — (1636–1711), the French critic.

4. **moi,** the editors refer to a passage in Montaigne's *Essais*,

Book I, ch. 25 (Louandre's ed'n vol. I., p. 205), which expresses the same idea.

Du Mérite Personnel

Page 13. — 1. **vale** = *vaille*, an antiquated form.

Page 14. — 1. **aïeuls** = *aïeux*; the distinction now made between the plurals of *aïeul* did not obtain in the seventeenth century.

2. **V * * * est un peintre,** Claude-François Vignon, the younger (1633–1703), historical painter.

3. **C * * * un musicien,** Pascal Colasse (? 1639–1700), composer and orchestra leader.

4. **l'auteur de Pyrame,** Nicolas Pradon (1632–1698), Racine's rival at the time of *Phèdre*. His *Pyrame et Thisbé*, a tragedy, was played in 1674.

5. **Mignard,** Pierre (1608–1695), the great portrait painter.

6. **Lulli,** Jean-Baptiste (1633–1687), the creator of French opera.

Page 15. — 1. **qu'il faut** = *qu'il ne faille*, to-day.

2. **Æmile,** the great Condé, into whose household La Bruyère had entered in 1684 as tutor to the Duc de Bourbon.

Page 16. — 1. **avant que de,** preferred in the seventeenth century to **avant de.**

2. **ennobli,** La Bruyère wrote *annobli*, which is now limited in meaning.

3. **au chef de sa famille,** the King, Louis XIV, since Condé was of the blood royal.

4. **Les enfants des Dieux.** "Fils, petits-fils, issus de rois." (Note by La Bruyère.)

Page 17. — 1. **Mopse,** supposed to be the Abbé de Saint-Pierre (Charles-Irénée Castel, 1658–1743).

Page 18. — 1. **la rupture des deux ministres,** probably an allusion to the disagreement between Louvois and de Seignelay in 1690, over the support to be given to James II of England by the French government.

Page 19. — 1. **modestie,** a slur on the nobles who, well installed at home, willingly endured discomfort in order to be near the king.

2. **La fausse grandeur,** etc.; the remarks in this paragraph might

be plausibly attributed to the example set by Condé himself, a prince of the blood royal. — Bossuet in his funeral oration on Condé bears witness to his simplicity.

Des Femmes

Page 20. — 1. **ruelle,** sleeping room where the ladies of the day received. So called because of the space between the bed and the wall, where visitors might be seated; an alcove.

2. **habit gris,** country dress assumed by magistrates who aspired to elegance. They would usually dress in black.

3. **baudrier,** the baldric would presume that the wearer carried a sword, a distinction which properly belonged to the nobility only.

4. **une écharpe d'or,** worn only by members of the king's household and privileged persons of the court.

5. **qui parle au roi,** the editors recall the famous scene of *le Bourgeois gentilhomme:* — Dorante . . . Vous êtes l'homme du monde que j'estime le plus, et je parlais de vous encore ce matin dans la chambre du roi, etc. (Act III, sc. IV.)

6. **à quatre lieues de là,** at Versailles, where the court was located under Louis XIV.

7. **savantes,** probably suggested by the passage in Molière's *Femmes savantes,* where Philaminte protests:

> Et je veux nous venger, toutes tant que nous sommes,
> De cette indigne classe où nous rangent les hommes,
> De borner nos talents à des futilités,
> Et nous fermer la porte aux sublimes clartés. (ll. 853–856.)

Page 21. — 1. **domestique,** *household.*

2. **endroits,** *particulars,* frequent in this sense in the seventeenth century.

3. **fait,** *does,* rarely with this meaning today.

Du Cœur

A large part of this chapter is on friendship and love.

Page 23. — 1. **Drance,** supposed to be the Comte de Clermont-Tonnerre, chamberlain of Monsieur, the king's brother.

2. **proche** = *près.*

De la Société et de la Conversation

Page 24. — 1. **délicat** = *difficile.*

Page 26. — 1. **il récite** = *il raconte.*

2. **se hasarde de** = modern *se hasarde à.*

3. **mots aventuriers,** words which pass speedily out of use.

Page 27. — 1. **Théodecte,** notice that many of the names used in these portraits are of Greek origin. This particular person is supposed to be D'Aubigné, the brother of Mme de Maintenon.

2. **Il faut laisser parler,** etc.; La Bruyère found some of the traits of this character in his Greek predecessor, Theophrastus.

Page 28. — 1. **l'imagination,** this opposition of the "imagination" to "bon sens," and "raison" occurs more than once in La Bruyère. His was a realistic epoch; see page 34, lines 5-9.

Page 29. — 1. **soi,** today *lui* would be used. The reflexive pronoun has lost much ground since the seventeenth century; cf. page 28, line 21, but see page 38, line 4.

Page 31. — 1. **la fuite,** *the desire to escape.*

2. **J'approche d'une petite ville,** etc., one of the author's celebrated sketches. It was written for the fifth edition, while the paragraph (no. 50) that follows, and which seems to explain this passage, had already appeared in the fourth.

Page 32. — 1. **président,** of the parliament; see page 53, note 2.

2. **les élus et les assesseurs,** the former were minor magistrates who gave decisions in the matter of taxes, the latter were adjuncts to the regular judge, his counsellors.

Page 33. — 1. **dispute** = *discussion.*

2. **L'on a vu,** etc., this may be an allusion to Mlle de Scudéry's *Saturdays,* which among other things produced the novel of *Clélie;* see paragraph 68.

Page 34. — 1. **avaient relation** = *avaient rapport.*

2. **les plus honnêtes gens,** *the best-bred people.* The final absurdity of this style of conversation in the lower social circles is the subject of Molière's satire in *les Précieuses ridicules.*

3. **Cette manière basse de plaisanter,** etc.; see Molière's *Critique de l'École des Femmes*, Sc. 1.

Page 35. — 1. **Lucain,** the Latin poet Lucan (39-65), author of the *Pharsalia.*

2. **Claudien,** Latin poet of the fourth century, who celebrated Stilicon's victories over the Goths.

3. **Sénèque,** the Roman philosopher, Seneca (2-65).

4, 5. **Hongrie . . . Bohême**; Bohemia had passed under the direct control of Austria in 1547, while Hungary had maintained some show of independence till 1688, two years before this paragraph was published.

6. **guerres de Flandre et de Hollande,** those carried on by Louis XIV, especially the one begun in 1688 and in progress at this time (1690).

7. **la guerre des Géants,** the mythological wars of the Giants with Hercules and the Gods.

Page 36. — 1. **Henri IV fils de Henri III**; Henry III (1574-1589) was childless. Henry IV (1589-1610) was the son of Antoine de Bourbon, brother of Louis de Bourbon, Condé's ancestor.

2. **Apronal,** etc.; these names were taken from a *Histoire du Monde* (1686), by Urbain Chevreau (1615-1701). — **Mardokempad** is *Mardokempados*, a king of the seventh Babylonian dynasty.

3. **Valois,** this family ascended the throne of France in 1328, with Philip VI. It ruled till the death of Henry III.

4. **Bourbon,** the younger branch of the royal family which succeeded to the sovereignty with Henry IV.

5. **l'Empereur,** the German Emperor, Leopold I (1658-1705), who was married three times.

6. **Ninus,** the fabled founder of Nineveh, who may have lived about 2000 B.C., second husband of Semiramis, and murdered by her; see line 15.

7. **Thetmosis,** evidently for Thothmes, the name of several kings of Egypt.

8. **Sémiramis,** wife of Ninus and queen of Assyria after his death.

9. **Ninyas** succeeded his mother in power after having murdered her, according to tradition.

10. **Nembrot,** *Nimrod,* the fabled founder of Babylon.

11. **Sésostris,** reputed king of ancient Egypt.

12. **Artaxerxe,** *Artaxerxes I,* King of Persia (465-425 B.C.), defeated by the Greeks under Cimon (449 B.C.). Malebranche, in his *Recherche de la Vérité* (1674), had made the same comment on antiquarians; see Book IV, c. 7.

13. **et Cydias bel esprit,** this is a portrait of Fontenelle (see page 3, lines 18-24). He wrote at command and for the benefit of others (mainly in the line of dramas, poems and stories). He published tragedies, librettos, pastoral poems, essays, popular compilations of science and the like.

Page 38. — 1. **Lucien,** *Lucian* (?120-?200), Greek author and writer of dialogues, which may have suggested Fontenelle's *Dialogues des morts* (1683).

2. **Sénèque,** *Seneca,* in his character as a dramatist probably, to correspond with Fontenelle's tragedies. Or it may have been his essays to which La Bruyère calls attention.

3. **Platon** might be cited in connection with Fontenelle's *Entretiens sur la pluralité des mondes* (1686).

4. **Virgile . . . Théocrite** (flourished about 270 B.C.), a Greek pastoral poet, would be surpassed by Fontenelle's *Pastorales*; see page 3, note 2.

5. **les contempteurs d'Homère,** a reference to the quarrel of the ancients and moderns; see page 3, lines 12-28.

Des Biens de Fortune

Page 39. — 1. **à l'épée,** etc.; the army, the magistracy and the church, respectable positions for men of good birth.

Page 40. — 1. **Suisse,** the ushers in private houses of wealth were originally Swiss. Afterwards the name was applied to any usher.

2. **Sosie,** etc.; La Bruyère says that *Sosie* was the name of a valet or slave with the Greeks (note to his translation of Theophrastus). The paragraph refers to the wealth rapidly acquired by the tax-collectors. They bid in the taxes, which were fixed at a certain amount, and proceeded to extort from the people as much more as they could. More than one lackey ("de la livrée") had

attained wealth and position in this way. La Bruyère has many paragraphs on these "farmers," or "partisans," as they were called.

3. **recette,** a tax-collector's office.

4. **sous-ferme,** the sub-contract of tax-collecting, let by the "farmer general."

5. **pouvoirs,** full legal power to collect taxes was given to all contractors.

6. **huitième denier,** allusion to a tax established in 1672, which this farmer had bid in.

7. **docteur,** *priest.*

Page 41. — 1. **Avenay . . . Sillery,** towns in the old province of Champagne (department of Marne), noted for their wines. For the condition of the peasants, see page 42, lines 18–22, and pages 85–86. The French name "Champagne" given to the character would indicate that he was a lackey who had become a farmer of taxes.

2. **la taille,** the nobles did not pay taxes, hence the low birth of Sylvain.

3. **il passe à dire** = *il en vient à dire.*

4. **un dorique règne,** etc., *a Doric portico extends along the front,* the architecture of antiquity which came in with the Renaissance. It implies here a new house of large proportions; see page 2, note 4.

5. **pancartes,** *funeral cards,* or papers, according to a note of La Bruyère's. The social position of the deceased was given on them.

Page 42. — 1, 2. **Noble homme,** a title assumed by burghers in legal documents.—**Honorable homme,** a title assumed by a still lower grade, as small shopkeepers, artisans and the like.—**Messire,** a title reserved for persons of quality and nobles.

3. **bénéfices,** church positions which were endowed, or had a revenue.

4. **médailles d'or** = *louis d'or.* (Author's note.)

Page 43. — 1. **dues**; the editors cite in this connection Célimène's characterization of an egotist in Molière's *Misanthrope:*

> Et l'on ne donne emploi, charge ni bénéfice,
> Qu'à tout ce qu'il se croit on ne fasse injustice. (ll. 621–622.)

2. **mettrait en parti,** *assign as object to be taxed,* to the farmers of taxes, the "partisans."

3. **bienfacteur** = *bienfaiteur*; both forms were in use, the latter being the common term, the former the learned.

Page 45. — 1. **cœur,** see below, no. 128 of "De l'Homme," page 85.

Page 46. — 1. **en être avec moi sur le plus ou sur le moins,** *stickle for a greater or less ceremony in dealing with me.*

2. **rappel** = *appel* or *en appeler.*

Page 47. — 1. **partisans,** the farmers of taxes.

2. **par son nom,** simply, without prefixing any title.

3. **les Fauconnets,** Jean Fauconnet had bid in several different taxes, for the period 1680 to 1687, and had consolidated them into one general farm.

4. **brelans,** the passion for gambling increased rapidly in France during the last years of the seventeenth century. It culminated in the disasters of Law's Mississippi Scheme.

Page 48. — 1. **prise,** allusion to the fortunes gained by privateering.

2. **Zénobie,** *Zenobia,* queen of Palmyra, who was conquered by Aurelian in 272. This is one of the finest passages in La Bruyère.

Page 49. — 1. **Liban,** *Lebanon.*

2. **les Phidias et les Zeuxis,** Phidias (496–431 B. C.), celebrated Greek sculptor, and Zeuxis (last half of the fifth century B. C.), a Greek painter.

3. **l'état,** *social rank.*

Page 50. — 1. **libertin,** *sceptic.*

De la Ville

2. **au Cours,** the Cours-la-Reine, fashionable promenade of the time, now a wide avenue extending along the Seine, from the Place de la Concorde towards the Trocadéro.

3. **Tuileries,** the garden of the Tuileries palace, still existing.

4. **une promenade publique,** probably at Vincennes.

5. **l'équipage,** in the general sense of "outfit."

Page 51.—1. **apparoir** = *apparaître*, a technical legal term.

2. **Gomons,** a lawyer, Jean Gomont, played a prominent part in formulating legislation in the sixties of the seventeenth century.

3. **Duhamels,** the family name of several eminent barristers of the day.

4. **honnête,** *civil, polite.*

5. **Feuillants,** etc., convent in the rue Saint-Honoré.—**Minimes,** convent near the Place des Vosges (old Place Royale).

6. **au reversi,** the game of cards now known as "Hearts."

7. **pistoles d'or,** a Spanish pistole was worth eleven francs.

8. **la Gazette de Hollande,** a journal published in Holland which contained letters from Paris.

9. **le Mercure galant,** a French monthly, which began in 1672, containing society news and light literature.

10. **Bergerac,** Savinien Cyrano de (1619–1655), dramatist, satirist and author of fantastic novels, as *le Voyage dans la lune.*

11. **Des Marets** de Saint-Sorlin, Jean (1595–1676), dramatist poet and novelist.

12. **Lesclache,** Louis de (a. 1600–1671), author of a treatise on French orthography and popular essays on philosophy.

13. **Barbin,** a bookseller and publisher. The *Historiettes* bought at his shop were called "Barbinades."

14. **à la Plaine,** possibly la Plaine des Sablons, between Paris and Neuilly.

Page 52.—1. **mortier,** the presidents of the parliaments wore a flat velvet cap, our mortar-board.

2. **cavalier,** *noble*, or with pretensions to nobility.

3. **fleuri** = *florissant de santé.*

4. **consignation,** money paid to the government for the purchase of an office.

5. **pécunieux,** *monied*, already archaic in La Bruyère's day.

6. **avec des bougies,** the "bougie" was a wax candle which came into use among the higher nobility in the fifteenth century.

7. **le Louvre,** the king's palace.

Page 53. — 1. **litière,** *Sedan-chair*, which came into general use towards 1617.

2. **à la chambre ou aux enquêtes ;** the old Parliaments, which were courts of justice, sitting in the chief towns of France, comprised two chambers, the one ("chambre") where judgments were rendered, and the other ("enquêtes") where the briefs of the lawsuits were examined.

3. **de son pied** = *à pied.*

4. **ils partageaient,** unlike the grandees', their children had no body servants.

Page 54. — 1. **modestie,** *moderation.*

De la Cour

2. **V * * *,** Versailles.

3. **Falaise,** in the department of Calvados.

4. **fourriers,** quartermasters, who chose the king's lodgings when he travelled.

5. **contrôleurs,** officers who had charge of the outlay for the provisions of the Court.

6. **chefs de fruiterie,** furnishers of the desserts, candles, etc.

7. **cercle,** *social gathering.*

Page 55. — 1. **vu,** in all the editions but two, where it is *vus.*

2. **république,** *state*, Latin *res publica* ; see below, page 68.

3. **portent au vent,** said of horses with nostrils raised and alert.

Page 56. — 1. **appartement,** the king's suite of rooms.

Page 57. — 1. **chanceler,** etc., the editors refer for this entire paragraph to a corresponding passage in Montaigne's *Essais*, Book III, ch. VIII (vol. IV, p. 33 of Louandre's edition).

2. **j'y ;** the pronoun *y* in the seventeenth century frequently referred to persons.

3. **n'ait,** notice that the negative follows *soupçonner*, an unusual construction. Note also the employment of the subjunctive after a verb which implies uncertainty.

Page 58. — 1. **d'Arlequin,** the Italian comedy, where Harlequin was the clown.

Page 59. — 1. **une épaisseur,** etc; the tone of this paragraph suggests Montesquieu's *Lettres Persanes.*

Page 60. — 1. **Diseurs de bons mots,** etc., a citation from Pascal's *Pensées.* (Article VI, pensée 19 of Havet's Edition.)

2. **l'ose dire,** notice that the pronoun, object of the infinitive, is placed before the auxiliary, a use now restricted to a few verbs.

Page 61. — 1. **Straton,** etc; this portrait is the Duc de Lauzun's (1633–1723), who after an adventurous youth had become secretly engaged to Mademoiselle d'Orléans, cousin of the king, and had been imprisoned for ten years in consequence. Pardoned, he fought in Ireland for James II, at the Boyne, where he was among the first to flee.

Des Grands

In this section the author's bitterness is even greater than before, due evidently to his position in the Condé family, where he was brought into close proximity with the nobles. Notice the second and third paragraphs quoted.

Page 62. — 1. **La prévention du peuple,** etc., cf. Pascal: *Pensées,* Art. V, pensée 2: "Le peuple honore les personnes de grande naissance."

Page 63. — 1. **leurs nains, leurs fous,** dwarfs and court fools had passed out of general favor, though some could still be found.

2. A paraphrase of number 52 of La Rochefoucauld's *Maximes.*

Page 64. — 1. **Renaud** de Montauban, **Roger,** legendary heroes in Ariosto's *Orlando Furioso* and elsewhere. — **Olivier,** the friend of Roland. — **Tancrède,** one of the leaders of the First Crusade, hero in Tasso's *Jerusalem Delivered.*

Page 65. — 1. **Champagne,** wine is of course understood.

Page 66. — 1. **Thersite,** the cowardly braggart of the *Iliad.*

2. **Le Brun,** Charles (1619–1690), distinguished French painter

Page 67. — 1. **cabinet.** "Rendez-vous à Paris de quelques honnêtes gens pour la conversation." (Author's note.)

2. **F ***,** Fontainebleau, a royal residence, as **V ***** is Versailles.

— The rue Saint-Denis was particularly occupied by small shop-keepers.

Du Souverain ou de la République

The word *république* has here its Latin meaning of "state," quite frequent in the sixteenth and seventeenth centuries; see above, page 55, note 2.

Page 68. — 1. **Ce qu'il y a de plus raisonnable,** etc.; this idea had been advanced by Montaigne, is found in Bossuet, and will be repeated by Montesquieu.

2. **enseignes,** a reference to the unsuccessful attempt made in 1669, by the chief of police, to do away with projecting signs in the streets of Paris.

Page 69. — 1. **Soyecour** (pron. *Saucour*), Adolphe de Bellefolière, chevalier de Soyecour, mortally wounded at Fleurus (1690), where his brother had been instantly killed (see line 3). La Bruyère was a friend of the family, and in his sixth edition (1691), had inserted "on l'a toujours vue . . . mais ordinaire!" into this paragraph.

Page 70. — 1, 2. **Dijon . . . Corbie,** in 1513 Dijon barely escaped capture at the hands of the Swiss. — Corbie was taken by the Spaniards in 1636.

3. **le bas de saye,** the *saye* was a thick cloak worn by Roman soldiers; the *bas de saye* was the lower part of the *saye*, a kind of skirt reaching to the knees. It was an accessory of the costume of actors of tragedy.

4. **les brodequins,** lace-boots worn in comedy. The cothurnus was the boot of tragedy.

Page 71. — 1. **régner!** This portrait of Louis XIV appeared in the first edition of *Les Caractères*. Later, in the fourth edition, La Bruyère added a eulogy of the monarch's attention to the details of government and his support of public order and justice (no. 24 of this chapter). Other and shorter captions were printed in the seventh edition. — While there is undoubtedly some excess in La Bruyère's praise of the king, the general features of his portrait may be accepted as true.

Page 72. — 1. **connaît** = *reconnaît*, discerns.

2. **reculement,** *extension*, pushing back.

3. **un culte faux,** protestantism, which was forbidden when Louis revoked the Edict of Nantes in 1685.

4. **usages cruels et impies,** duelling, forbidden by Louis XIV.

5. **lois . . . coutumes,** not less than six codes of laws had been compiled between 1667 and 1685.

6. **libertés,** in 1682 the liberty of the Gallican (French) Church had been formally asserted.

De l'Homme

The main theme of this chapter is self-interest, the actuating motive of man, but many foibles are also satirized in its pages.

Page 76. — 1. **relevés** = *élevés.*

Page 77. — 1. **unique** = *uniforme.*

Page 79. — 1. **un même fond,** of the carriage.

Page 81. — 1. **l'esprit du jeu,** see "Des Biens de Fortune," no. 74 (pages 47–48), and "De la Mode," no. 7 (pages 102–103).

Page 83. — 1. **fait son propre** = *s'approprie.*

Page 84. — 1. **relevé,** *set off, flanked.*

2. **les assiettes,** side dishes, less in quantity than the "entremets," being contained in one plate.

Page 85. — 1. **L'on voit certains animaux farouches,** etc., a terrible picture of the peasantry of France at the height of Louis XIV's glory.

Page 86. — 1. **philosophie.** "L'on ne peut plus entendre que celle qui est dépendante de la religion chrétienne." (Author's note.)

Page 87. — 1. **automate,** etc., an allusion to Descartes' theory that animals are merely machines, without consciousness of their movements.

2. **meugle** = *mugit.*

3. **des fourrures,** furred cloaks worn on occasions by graduates of a university, the kind of fur corresponding to their degrees.

4. **hoquetons,** coats worn by the archers, or police, of the municipal courts.

Des Jugements

Page 89. — 1. **louable,** La Bruyère makes the same comment in no. 39 of this chapter.

2. **phénix de la poésie chantante,** Philippe Quinault (1635–1688), playwright and librettist. Boileau had judged him severely at first and had afterwards relented somewhat.

3. **mis,** cf. no. 19 below.

4. **doctrine** = *science.*

5. **Les langues,** cf. no. 71 of the chapter "De Quelques Usages" (page 111). The first part of this *Caractère* speaks of the contempt people possess for learning when applied to practical affairs.

Page 90. — 1. **ambassadeurs,** etc., suggested by the curiosity excited at Paris, in 1686, by the ambassadors of the king of Siam.

2. **agreste.** "Ce terme s'entend ici métaphoriquement." (Author's note.)

Page 91. — 1. **il,** redundant.

Page 92. — 1. **La règle de Descartes,** etc., in his *Discours de la méthode.*

2. **Il y dans le monde,** etc., portrait of La Fontaine, who was still living (†1695).

3. **Un autre est simple,** etc., Corneille.

Page 93. — 1. **le bachelier,** in theology, who studies the first four centuries of the Christian era for facts on church doctrines and laws.

Page 95. — 1. **masquez-vous ?** masquerades were greatly in fashion during the seventeenth century.

2. **Si le monde,** etc.; this is an optimistic view of the future, unusual in an observer of manners, who is quite sure to become a pessimist.

Page 96. — 1. **six ou sept mille ans !** see page 2, note 1.

2. **Les hommes, sur la conduite des grands,** etc.; this paragraph (dating from 1689) is a summary which the remainder of the chapter separates into its parts. The event which gave rise to it was the expulsion of James II from England, by William of Orange.

La Bruyère looked on the successful contestant both as an enemy of kings and of public morality.

De la Mode

3. **le vivre,** *food.*

4. **viande noire,** game in general.

5. **la saignée,** the old practice of bleeding fever patients.

Page 97. — 1. **la Solitaire . . . l'Orientale,** etc., names of different kinds of tulips. — This is perhaps La Bruyère's most famous portrait.

2. **il s'assit** = *il s'assied.* The latter form is the older, and in accord with phonetic laws. The former was preferred by La Bruyère.

3. **huilée,** glistening as though oiled.

4. **à pièces emportées,** delicately worked, as with a cutting punch (*emporte-pièce*).

Page 98. — 1. **le fruste, le flou et la fleur de coin,** a medal on which the inscriptions etc. are effaced is *fruste*; a medal of which all the lines made in cutting or moulding are filled up even off with one another is *flou*; a medal fresh as though newly stamped is *à fleur de coin.*

Page 99. — 1. **le Petit-Pont,** the bridge close by Notre Dame, connecting the island of the Cité with the left bank of the Seine. It was formerly covered with houses, which were hung with tapestry and pictures on festival days.

2. **rue Neuve**—Notre-Dame led from the Petit-Pont to the Parvis Notre-Dame. It no longer exists.

3. **Callot,** Jacques (1592–1635), a celebrated draughtsman and engraver.

Page 100. — 1. **l'enfilade,** a suite of communicating rooms.

2. **planchers de rapport,** *inlaid flooring*; by *rapport* is meant pieces of wood which bear "relation" to one another, fitting into one another.

3. **Palais-Royal,** built by Richelieu, in 1624, and bequeathed by him to the king.

4. **palais L . . . G . . .,** probably the residence of Langlée, who

has figured here under the name of Périandre in "Des Biens de Fortune," no. 21, page 41.

5. **Luxembourg,** built by Marie de Médicis, towards 1615, on the left bank of the Seine.

6. **un tour de lit,** curtains hung from the ceiling and draped about a bed.

Page 102. — 1. **plus d'éclat** = *le plus d'éclat.*

2. **il a décidé de l'innocence,** etc., the trial by combat of the Middle Ages and down to the Renaissance.

3. **d'un très grand roi,** Richelieu tried to stop duelling and executed several nobles for engaging in it. Louis XIV followed up his work by several edicts against the practice; cf. page 72, note 4.

4, 5. **Tigillin qui souffle . . . jette en sable,** etc., *a debauchée who swallows at a gulp* (souffle, jette en sable), *a glass of brandy.* — **Tigillin,** *Tigellinus,* a favorite of Nero and famous for his dissipation. — **souffle** = *avale d'un souffle.* The modern colloquial term is *siffler.* — **jette en sable** = modern *sable.* It means to suddenly swallow, as a molten liquid is suddenly taken up by a sand mould.

Page 103. — 1. **qui le soulève,** *which exalts him,* makes him known. For the prevalence of gambling, see page 81, note 1.

2. **Catulle,** *Catullus* (87–?45 B.C.), Latin poet famous for the elegance of his style.

3. **Sarrasin,** Jean-François (1605–1654), a writer of madrigals and society verse.

4. **les petites parties,** pleasure parties.

5. **les directeurs,** *the father confessors.*

6. **ailerons,** narrow edgings which covered the seams of the upper part of the sleeves.

7. **aiguillettes,** metal tipped cords which fringed the lower extremity of kneebreeches.

Page 104. — 1. **plus de,** see page 102, note 1.

2. **la saye,** see page 70, note 3.

3. **la mante, le voile et la tiare.** "Habits des Orientaux." (Author's note.)

4. **armes.** "Offensives et défensives." (Author's note.)

Page 105. — 1. **dévotion.** "Fausse dévotion." (Author's note.) — The same note is repeated for "dévotion" in no. 26, line 22.

De Quelques Usages

Page 107. — 1. **Flamands,** the editors refer to a change in the name of a tax collector's son from Sonin to Sonningen.

2. **quatre quartiers,** a "quartier" ("quarter" of a shield) is technically a degree in family descent. Hence quatre quartiers would equal *four generations.*

3. **solitaires.** "Maison religieuse, secrétaire du Roi." (Author's note.) The editors explain that the Celestine convent, to which La Bruyère refers, had enjoyed this immunity since the fourteenth century, when it had been made "secretary to the king."

4. **gabelles,** the salt tax, farmed out to the highest or favored bidder.

5. **applaudir à,** this verb is now more often transitive.

6. **délicat,** see page 24, note 1.

Page 108. — 1. **action,** *pleading*, a Latinism.

2. **écritures,** *legal papers.*

3. **injustes**; Pascal had said the same thing in his *Pensées* (Art. III, pensée 3).

Page 109. — 1. **dont** = *au sujet duquel.*

2. **les lanternes des chambres,** the places in the galleries of the court house where one could sit without being seen from the floor.

3. **ab intestat,** *at law.*

Page 110. — 1. **obmis** = *omis,* pronunciation affected by the lawyers as more learned.

2. **charge,** *office*, transferable by its possessor at this time.

3. **rentes de la ville,** bonds issued by the city.

4. **officier,** *holding an office.*

5. **parlements,** see page 53, note 2.

Page 111. — 1. **L'on ne peut guère,** etc.; see "Des Jugements," no. 19 (pages 89–90).

Page 112. — 1. **conciliez . . . ajustez,** *make consistent . . . harmonize.*

2. **Qui** = *Qu'est-ce qui.*

Page 113. — 1. **fraises . . . collets,** fashions of the later sixteenth century, ruffs and high stiff collars.

2. **poitrine découverte,** fashion under Francis I, in the first part of the sixteenth century.

3. **nus tout habillés,** fashion of wearing tight breeches.

4. **écrit,** between the opening paragraph on fashions and this summary La Bruyère has discussed a number of antiquated words or spellings, derivations and expressions and how usage, rather than logic, decides in regard to them.

5. **Laurent,** supposed pseudonym of Robinet, author of poems of circumstance and a society chronicle in rhyme.

6. **Desportes,** Philippe (1546–1606), a graceful poet and translator.

7. **Benserade,** Isaac de (1612–1691), a minor poet and dramatist.

8. **auteur,** the two rondeaux which follow were well known. They had been published in 1640 as "Rondeaux antiques," but were probably written not long before that date. Their subjects were Ogier le Danois and Richard sans Peur.

9. **Ogier,** *Olger* the Dane, a well known hero of the mediaeval epic.

10. **sceut** = *sut.* We have modernized the spelling as a rule.

Page 114. — 1. **cettuy** = *ce.*

2. **Richard,** called "sans Peur," duke of Normandy in the tenth century (†996).

De la Chaire

3. **Cette tristesse évangélique** has become a familiar quotation. In succeeding paragraphs La Bruyère asserts that the bar had become the model for the pulpit and was responsible for much of the latter's decline. He prefers homilies to eloquent phrases and word pictures; cf. no. 2.

Page 115. — 1. **Le Maître, Pucelle et Fourcroy,** celebrated lawyers, Antoine Lemaître († 1658), Claude Pucelle and Bonaventure Fourcroy († 1691).

2. **apprentif** = modern *apprenti.*

3. **uniment** = *simplement.*

Page 116. — 1. **demeuré** is so printed in all editions reviewed by La Bruyère, but it is surely an oversight.

2. **Pandectes**, the compilation of judicial decisions made under Emperor Justinian.

3. **saint Cyrille** († 444), Patriarch of Alexandria.

4. **saint Cyprien** († 258), Bishop of Carthage.

5. **Lucrèce**, *Lucretius* († 55 B. C.), poet and author of the *De rerum natura.*

6. **saint Augustin** (354–430), great bishop and religious writer.

7. **la scolastique**, not "scolasticism" really, but the argumentative subtleties for which it might have served as model.

Page 117. — 1. **reçue**, as though *oraison* were the direct subject.

2. **l'examen**, the censorship.

3. **L'. de Meaux** = *L'évêque de Meaux*, Bossuet.

4. **le P. Bourdaloue**, *Louis Bourdaloue* (1632–1704), Jesuit, and noted pulpit orator.

DES ESPRITS FORTS

A chapter directed against religious sceptics, which contains many traces of Descartes', Pascal's and Bossuet's influence.

Page 122. — 1, 2. **Yvette . . . Lignon**, the former is the name of a stream in the department of Seine-et-Oise. The latter is probably the river of Forez (department of Loire) which had been made famous by D'Urfé's pastoral romance of *Astrée* (1610–1626). — In this paragraph we find a description of Condé's estate at Chantilly, which its last owner, the Duc d'Aumale, presented to the Institute of France, before his death.

3. **canal**, Condé had turned two streams at Chantilly into one bed.

4. **Nautre**, *André le Nôtre* (1613–1700), the celebrated landscape gardener, who designed the Versailles parks and the Kensington Gardens in London.

Page 123. — 1. **dire**, this *Caractère* goes on to discuss the insignificance of man when compared to the vastness of the universe.

2. **Si**, etc., the closing sentence of *Les Caractères.*

ADVERTISEMENTS

Heath's Modern Language Series

FRENCH GRAMMARS, READERS, ETC.

Armand's Grammaire Elémentaire.
Blanchaud's Progressive French Idioms.
Bouvet's Exercises in French Syntax and Composition.
Bowen's First Scientific French Reader.
Bruce's Dictées Françaises.
Bruce's Grammaire Française.
Bruce's Lectures Faciles.
Capus's Pour Charmer nos Petits.
Chapuzet and Daniels' Mes Premiers Pas en Français.
Clarke's Subjunctive Mood. An inductive treatise, with exercises.
Comfort's Exercises in French Prose Composition.
Davies's Elementary Scientific French Reader.
Edgren's Compendious French Grammar.
Fontaine's En France.
Fontaine's Lectures Courantes.
Fontaine's Livre de Lecture et de Conversation.
Fraser and Squair's Abridged French Grammar.
Fraser and Squair's Complete French Grammar.
Fraser and Squair's Shorter French Course.
French Verb Blank (Fraser and Squair).
Grandgent's Essentials of French Grammar.
Grandgent's French Composition.
Grandgent's Short French Grammar.
Heath's French Dictionary.
Hénin's Méthode.
Hotchkiss's Le Premier Livre de Français.
Knowles and Favard's Grammaire de la Conversation.
Mansion's Exercises in French Composition.
Mansion's First Year French. For young beginners.
Martin's Essentials of French Pronunciation.
Martin and Russell's At West Point.
Méras' Le Petit Vocabulaire.
Pattou's Causeries en France.
Pellissier's Idiomatic French Composition.
Perfect French Possible (Knowles and Favard).
Prisoners of the Temple (Guerber). For French composition.
Roux's Lessons in Grammar and Composition, based on *Colomba*.
Schenck's French Verb Forms.
Snow and Lebon's Easy French.
Story of Cupid and Psyche (Guerber). For French composition.
Super's Preparatory French Reader.

Heath's Modern Language Series

ELEMENTARY FRENCH TEXTS.

Assolant's Récits de la Vieille France. Notes by E. B. Wauton.
Berthet's Le Pacte de Famine (Dickinson).
Bruno's Les Enfants Patriotes (Lyon). Vocabulary.
Bruno's Tour de la France par deux Enfants (Fontaine). Vocabulary.
Claretie's Pierrille (François). Vocab. and exs.
Daudet's Trois Contes Choisis (Sanderson). Vocabulary.
Desnoyers' Jean-Paul Choppart (Fontaine). Vocab. and exs.
Enault's Le Chien du Capitaine (Fontaine). Vocabulary.
Erckmann-Chatrian's Le Conscrit de 1813 (Super). Vocabulary.
Erckmann-Chatrian's L'Histoire d'un Paysan (Lyon).
Erckmann-Chatrian's Le Juif Polonais (Manley). Vocabulary.
Erckmann-Chatrian's Madame Thérèse (Manley). Vocabulary.
Fabliaux et Contes du Moyen Age (Mansion). Vocabulary.
France's Abeille (Lebon).
French Fairy Tales (Joynes). Vocabulary and exercises.
French Plays for Children (Spink). Vocabulary.
Gervais's Un Cas de Conscience (Horsley). Vocabulary.
La Bedollière's La Mère Michel et son Chat (Lyon). Vocabulary.
Labiche's La Grammaire (Levi). Vocabulary.
Labiche's La Poudre aux Yeux (Wells). Vocabulary.
Labiche's Le Voyage de M. Perrichon (Wells). Vocab. and exs.
Laboulaye's Contes Bleus (Fontaine). Vocabulary.
La Main Malheureuse (Guerber). Vocabulary.
Laurie's Mémoires d'un Collégien (Super). Vocab. and exs.
Legouvé and Labiche's Cigale chez les Fourmis (Witherby).
Lemaître, Contes (Rensch). Vocabulary.
Mairet's La Tâche du Petit Pierre (Super). Vocab. and exs.
Maistre's La Jeune Sibérienne (Fontaine). Vocab. and exs.
Malot's Sans Famille (Spiers). Vocabulary and exercises.
Meilhac and Halévy's L'Été de la St. Martin (François) Vocab.
Moinaux's Les deux Sourds (Spiers). Vocabulary.
Muller's Grandes Découvertes Modernes. Vocabulary.
Récits de Guerre et de Révolution (Minssen). Vocabulary.
Récits Historiques (Moffett). Vocabulary and exercises.
Saintine's Picciola (Super). Vocabulary.
Ségur's Les Malheurs de Sophie (White). Vocab. and exs.
Selections for Sight Translation (Bruce).
Verne's L'Expédition de la Jeune-Hardie (Lyon). Vocabulary.